A2

Mobile
MÉTHODE DE FRANÇAIS

MÉTHODE DE FRANÇAIS

Laurence Alemanni

Catherine Girodet

didier

Édition : Adélaïde Lebuy

Couverture : Marie-Astrid Bailly-Maître **et principe de maquette intérieure** : Elsa Clouet

Mise en page : www.avisdepassage.net

Photogravure : Apex Graphic

Enregistrements, montage et mixage : CD par Fréquence Prod / DVD par INIT

Illustrations :

Clémentine Bernard : pages 17, 18, 20, 21, 23, 26, 28 A, 33, 36 B, 38, 42, 56, 58 A, 60, 61, 62, 63, 66, 68 B, 72, 73, 78, 81, 83, 88, 90, 93, 103, 104.
Marine Kulesza : pages 28 B, 29, 36 A, 46, 50 A, 57, 58 B, 68 A, 70, 76 B, 79, 80, 84, 87, 94, 96, 98, 100, 108, 110

Iconographie : Aurélia Galicher

éditions **didier** s'engagent pour l'environnement en réduisant l'empreinte carbone de leurs livres. Celle de cet exemplaire est de :

700 g éq. CO$_2$

Rendez-vous sur www.editionsdidier-durable.fr

PAPIER À BASE DE FIBRES CERTIFIÉES

© Les Éditions Didier, Paris 2012

ISBN 978-2-278-7656-7

Dépôt légal 7656/01

Achevé d'imprimer en Italie en janvier 2013 par Lego Lavis

Avant-propos

Parce que le monde bouge ! Parce que le temps s'écoule toujours plus vite !
Avec *Mobile*, nous avons voulu accompagner les étudiants vers l'autonomie
en français, rapidement et efficacement. Pour cela, nous proposons une
démarche avant tout centrée sur le lexique : mettre à disposition les mots pour
dire, échanger et s'affirmer.

Avec la double page « Découvrir », les étudiants seront confrontés à une large
palette de vocabulaire sur le thème de l'unité, qui se veut actuel et proche de
leurs préoccupations. Une démarche active qui s'inscrit volontairement dans
une perspective actionnelle : dire pour faire ou faire en disant !

Dans les pages « Exprimer », l'étudiant va, dans un contexte à caractère
authentique, mettre en place les structures linguistiques essentielles qui l'aide-
ront à interagir.

Puis, dans la double page « Échanger », les étudiants seront sensibilisés à
l'aspect interculturel de la langue. Cette approche se retrouvera tout au long
de la méthode : les bandes d'informations liées à la langue ou la culture en bas
des pages, les espaces « ET PLUS » qui offrent une ouverture culturelle sur
le thème proposé, ou encore le carnet pratique qui permet d'aller à la rencontre
du monde francophone.

De plus, chaque unité propose une tâche finale, à réaliser individuellement
ou en groupe, qui permet de consolider les acquis de l'unité. Ces acquis sont
validés à plusieurs stades, en empruntant la voie d'une progression spiralaire
pour transférer son savoir-faire d'un contexte à un autre.

Enfin, l'étudiant pourra s'évaluer avec les préparations DELF (oral et écrit).
Avec *Mobile*, nous espérons que les étudiants pourront rapidement s'exprimer
et converser en français avec plaisir !

Les auteurs

Mode d'emploi

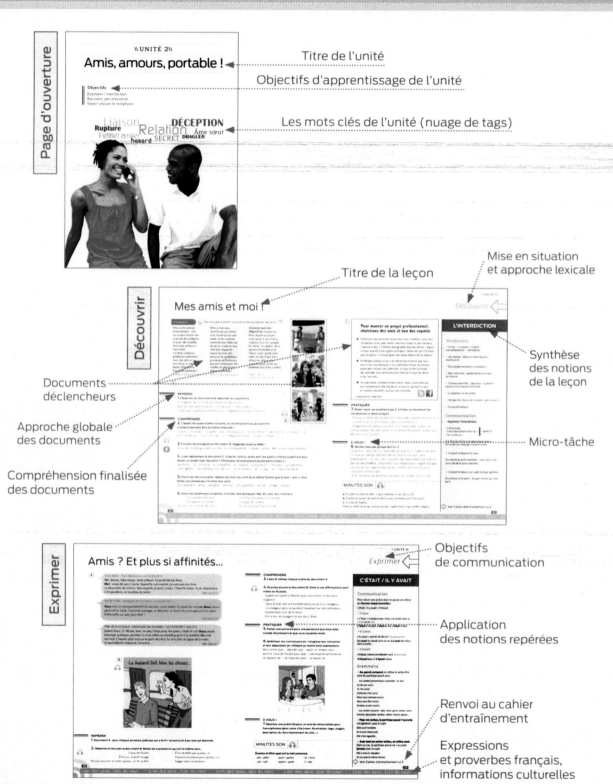

Page d'ouverture

» UNITÉ 2 »

Amis, amours, portable ! ◄······· Titre de l'unité

Objectifs
Exprimer l'interdiction
Raconter une rencontre
Savoir utiliser le téléphone

◄······· Objectifs d'apprentissage de l'unité

Liaison **Relation** **DÉCEPTION**
Rupture Âme sœur
(Petite) ami(e) SECRET DRAGUER
hasard ◄······· Les mots clés de l'unité (nuage de tags)

Découvrir

Titre de la leçon

Mes amis et moi !

Mise en situation
et approche lexicale

Documents ······ déclencheurs

Approche globale ······ des documents

Compréhension finalisée des documents

L'INTERDICTION

Synthèse des notions de la leçon

Micro-tâche

Exprimer

Amis ? Et plus si affinités...

Objectifs de communication

C'ÉTAIT / IL Y AVAIT

Application des notions repérées

Renvoi au cahier d'entraînement

Expressions et proverbes français, informations culturelles

T'es où ?

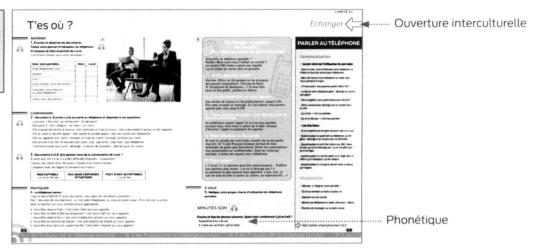

Échanger ← .... Ouverture interculturelle

.... Phonétique

.... Mise en œuvre des notions et apprentissages de l'unité

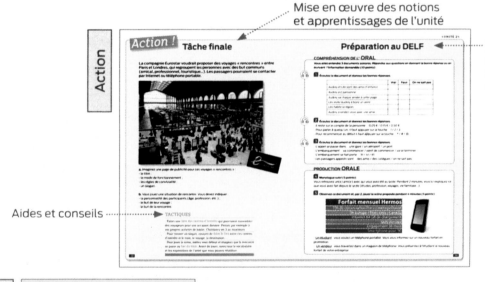

.... Entraînement à l'examen du DELF (oral et écrit)

Aides et conseils ....

ET PLUS ...

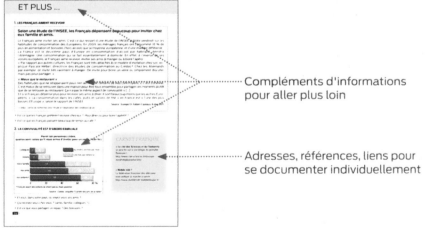

.... Compléments d'informations pour aller plus loin

.... Adresses, références, liens pour se documenter individuellement

Tableau des contenus

		Micro-tâche	Communication	Grammaire	Lexique	Phonétique	Interculturel
UNITÉ 1 Les uns , les autres	**Découvrir** Qui êtes-vous ?	Faire un portrait psychologique d'après 1 œuvre	Faire un portrait psychologique	Présent (révision)	La caractéri-sation de la personne	Les sons [y] / [u]	Caractéristique nationales
	Exprimer Au café Babel	Imaginer ce qu'il s'est passé entre deux moments	Raconter des événements passés	Passé composé	Les langues et l'appren-tissage	Les sons [œ] / [e] / [ɛ]	Apprendre une langue
	Échanger Événements populaires	Répondre à une annonce	Parler d'un événement populaire	Relatifs : qui / que / où	La fête et les mani-festations	Exclamation / affirmation / question	Fêtes et manifestations locales et nationales
	Tâche finale : en groupe, imaginez des retrouvailles avec vos copains de lycée 15 ans plus tard.						
UNITÉ 2 Amis, amours, portable !	**Découvrir** Mes amis et moi !	Établir des règles de fonctionnement pour ouvrir un café entre amis	Exprimer des obligations	Présent (révision)	Les relations sociales	Les sons [p] / [b]	L'amitié
	Exprimer Amis ? Et plus si affinités...	Réaliser une publicité pour un site de retrouvailles	Raconter une rencontre	- C'était / il y avait / il faisait - Passé composé / accords	La rencontre amicale et amoureuse	Les sons [i] / [ɛ]	Les relations amoureuses
	Échanger T'es où ?	Rédiger une charte d'utilisation du portable	- Comparer - Exprimer son opinion	Conseils : il faut / on doit	Le téléphone et les reactions	Les sons [ɥi] / [wi]	Téléphone : les règles de savoir-vivre
	Tâche finale : imaginez des rencontres entre voyageurs Paris-Londres (Eurostar).						
UNITÉ 3 Voyager autrement	**Découvrir** Suivez le guide !	Préparer une visite originale pour un couple de touristes français dans sa ville	- Exprimer la satisfaction / insatisfaction - Décrire sa ville, son quartier	Présent : les verbes irréguliers (révision)	La description géographique	Les sons [ɔ] / [o]	Les Greeters

		Micro-tâche	Communication	Grammaire	Lexique	Phonétique	Interculturel
UNITÉ 3 Voyager autrement	**Exprimer** L'échange de maisons	Préparer une page web pour présenter son logement	- Décrire un logement - Faire des propositions	- Imparfait (morphologie) - Formation de l'adverbe	Le logement	Graphie-phonie : [ɛ]	Le troc de maisons
	Échanger Le tourisme équitable	Choisir un voyage entre amis	- Comparer - Exprimer son opinion	Les comparatifs	Le tourisme	Prononciation de PLUS (ply / plyz / plys)	L'écotourisme
	Tâche finale : jeu de rôles entre 2 personnes qui ont échangé leurs logements et l'agent immobilier.						
UNITÉ 4 Trouver un emploi	**Découvrir** Faire son CV	Faire son CV en français	- Parler de son expérience professionnelle - Exprimer la durée et l'habitude	- Imparfait / passé composé - La durée : *pendant / il y a / depuis*	Lexique professionnel (expérience)	Les sons [t] et [d]	Le CV français
	Exprimer Au travail !	Simuler un entretien d'embauche	Exprimer le changement de situations	Passé composé / imparfait	Lexique professionnel (expérience et qualités)	Les sons [œ] et [ø]	- Les échanges courriels - L'embauche
	Échanger Mobilité internationale	Écrire une annonce pour un poste	Faire des projets	Le futur	Les échanges internationaux	Le « e » muet	Faire un échange international
	Tâche finale : lors d'un forum des métiers, participez à un entretien avec un recruteur.						
UNITÉ 5 Nature et environnement	**Découvrir** La cité écolo !	Présenter un projet d'habitat participatif	- Parler d'énergie - Proposer des améliorations	Présent / futur	La ville et de l'écologie	Les sons [k] / [g]	Les energies renouvables
	Exprimer L'écologie au quotidien	Préparer une affiche pour mettre en place le recyclage du papier	Proposer des solutions	- Le superlatif - Formation de l'adverbe	Le tri	Les sons [ɔ] / [œ]	Le recyclage
	Échanger Voitures et piétons en ville	Organiser une journée de sensibilisation à l'environnement dans sa ville	Exprimer l'équivalence	- Superlatif - L'obligation	Les transports	Question ou critique	La pollution en ville
	Tâche finale : dans le cadre d'un comité de quartier « Ma ville, ma solution », vous proposez un projet pour votre ville.						

Tableau des contenus

		Micro-tâche	Communication	Grammaire	Lexique	Phonétique	Interculture
UNITÉ 6 Bien dans sa peau !	**Découvrir** C'est grave docteur ?	Conversation entre amis : la santé	- Donner des conseils - Mettre en garde - Dire ce qui ne va pas / s'inquiéter / rassurer	L'impératif : conseils et ordres	Le corps et la santé	Les sons [f] / [v]	L'hygiène de vie
	Exprimer Un esprit sain, un corps sain	Créer une page web de publicité pour la gym en ville	Donner des consignes de sport	Le gérondif	Mouvements et postures	Les voyelles nasales [ɑ] / [ɔ] / [ɛ]	La gym en ville (« *urban training* »)
	Échanger Bien-être et relaxation	Écrire un mini-questionnaire sur le stress	Parler de techniques de détente	La nomi-nalisation (préfixe, suffixe)	Le bien-être	Intonation : question et exclamation	Les thérapies alternatives
	Tâche finale : montez un programme « Bien-être au travail » pour lutter contre le stress en entreprise.						
UNITÉ 7 Quelle poisse !	**Découvrir** À l'aide !	Porter plainte pour vol	- Décrire un incident - Demander de l'aide	Ne ... rien / Ne ... personne	Les secours / la prévention	Les sons [ʃ] / [ʒ]	Procédures d'urgence
	Exprimer Petits tracas	Téléphoner à un artisan pour lui demander un service	Communiquer au téléphone	- La cause (parce que, grâce à, à cause de, puisque) - Expressions temporelles : déjà / pas encore / ne... plus / ne... jamais	Le bricolage et les travaux domestiques	Les liaisons en [z]	Le bricolage et les artisans
	Échanger Tu y crois ?	Préparer un sondage « superstitieux ou rationaliste ? »	Expliquer un phénomène	Les pronoms « y » et « en »	Les croyances	Intonations : agacement / constat	Superstitions selon les cultures
	Tâche finale : concours d'anecdotes insolites ! Racontez une histoire de malchance, sous la forme comique.						
UNITÉ 8 Les nouveaux travailleurs	**Découvrir** Génération « Y »	Raconter sa pire journée de travail	Parler de ses relations professionnelles	Passé composé / imparfait (consolida-tion)	Ambiance et cadre de travail	Les sons [b] / [v]	Les jeunes travailleurs (génération « y »)

		Micro-tâche	Communication	Grammaire	Lexique	Phonétique	Interculturel
UNITÉ 8 Les nouveaux travailleurs	**Exprimer** Le coaching	Créer son entreprise de coaching et écrire sa page de présentation web	Monter une entreprise	Conditionnel (morphologie)	Le développement personnel	La liaison après les lettres t, d, n	Le développement personnel et professionnel
	Échanger Travail ou loisir : le bénévolat	Créer une association et présenter ses objectifs	Parler de sa vie associative	Certains / aucun(e) d'autres... / la plupart	Le social et l'associatif	Intonation : marquer l'insistance	Le bénévolat
	Tâche finale : concours du travail de rêve ! Imaginez un emploi de rêve, original et attrayant.						
UNITÉ 9 À vendre ! À échanger !	**Découvrir** Petits et grands commerces	Faire des enchères	Demander un prix, négocier	Présent (révision)	La description géographique et le commerce	Les sons [s] / [ʃ]	Les commerces
	Exprimer Échanges de services	Troquer un savoir-faire	Caractériser un objet ou un service	Les pronoms relatifs	L'échange et les services à la personne	h muet / h aspiré	Le troc
	Échanger Achetons équitable	Promouvoir un produit équitable	Parler du commerce équitable	Les comparatifs	Le commerce équitable	Accent de groupe	Le commerce équitable, bio et éthique
	Tâche finale : imaginez un cadeau (objet ou service) à faire à votre pire ennemi.						
UNITÉ 10 Arts et culture	**Découvrir** Arts populaires	Organiser une manifestation artistique	Exprimer le souhait, la volonté, la possibilité	Subjonctif (reconnaissance)	Les manifestations culturelles	Les sons [l] / [r]	Expositions, artistes
	Exprimer Des goûts mais sans couleur	Présenter un plat détesté	- Exprimer ses goûts et dégoûts - Faire des propositions	Subjonctif (souhait / volonté)	La cuisine	Redoublement vocalique	Goûts et dégoûts
	Échanger Une âme d'artiste...	Présenter une œuvre ou un artiste	Exprimer son opinion	Exprimer le doute (subjonctif)	L'art	Intonation : question / surprise	Les arts
	Tâche finale : organisez une exposition de jeunes artistes.						

Mobilisons-nous !

SE PRÉSENTER

1. Présentez-vous à votre partenaire avec les éléments suivants :

- votre animal préféré
- votre pays préféré
- votre destination préférée
- votre sport préféré
- votre objet préféré
- vos livres, musiques, films préférés
- votre langue préférée
- votre plat préféré.

2. Ensuite chacun présente son partenaire à la classe.

FAIRE CONNAISSANCE

3. Faites connaissance avec votre partenaire.
Utilisez les questions suivantes pour votre conversation.

a. Pourquoi étudiez-vous le français ?

b. Combien de langues parlez-vous ?

c. Où avez-vous appris le français ?

d. Est-ce que vous avez des amis francophones ?

e. Est-ce que vous regardez la télévision française ?

f. Quels pays francophones avez-vous visités ?

g. Qu'est ce-ce que vous avez fait pendant vos dernières vacances ?

CONNAISSANCE DU MONDE FRANCOPHONE

4. **Par groupes de 3-4, citez au moins 7 régions ou pays francophones dans le monde.**

5. **Connaissez-vous des territoires français hors de l'Europe ?**
S'appellent-ils les « DOM-TOM » ou les « TOM-TOM » ?

6. **Est-ce qu'on parle français dans les villes suivantes ?**
Bruxelles, Anvers, Zurich, Québec, Le Caire, Strasbourg, Lagos, Cayenne, Nouméa, Auckland.

Infos France :
- Population : 65 millions d'habitants
- Superficie : 670 922 km²
- République, membre de
l'Union européenne
- Principales villes : Paris, Lyon,
Marseille, Toulouse, Lille, Bordeaux

Mobilisons-nous !

POURQUOI VOUS AIMEZ LE FRANÇAIS ...

7. Lisez les affirmations suivantes et dites si vous êtes d'accord.

a. J'adore parler français en cours, je ne suis pas timide !

b. Je préfère écouter les documents que parler.

c. Je n'aime pas du tout lire des textes ou écrire, je préfère l'oral.

d. J'aime bien travailler en petit groupe ou par deux.

e. Quand je parle, j'ai peur de faire des erreurs.

f. Je déteste la grammaire, je trouve ça ennuyeux et compliqué.

g. J'adore faire des jeux de rôle en classe.

8. Puis par groupe de 2-3, échangez vos opinions.

→ *Je suis d'accord avec X parce que...*
Je ne suis pas d'accord...

9. Témoignages

a. Lisez les témoignages suivants : de quel étudiant vous sentez-vous le plus proche ? Pourquoi ?

b. Écrivez votre propre témoignage.

Accueil ▾	
Auteur	Thème
Ravinder, Dehli	Moi je n'aime pas du tout la grammaire, c'est un cauchemar. Je préfère faire des écoutes ou regarder des vidéos. Je mémorise mieux si j'ai vu une situation drôle ou bizarre.
Rolf, Allemagne	J'aime bien lire et écrire, mais en cours je n'ose pas parler devant la classe parce que j'ai peur de faire des erreurs. En revanche, j'aime bien travailler en petit groupe, c'est convivial et sécurisant.
Emily, Londres	J'adore parler français : je trouve ça drôle et enrichissant, parce qu'on peut jouer des rôles. Je ne suis pas timide en cours de langue, c'est normal de faire des erreurs, et c'est comme ça qu'on apprend !

VACANCES ! IMAGINEZ...

10. Qu'est-ce que vous avez fait .... ?

Par 2, imaginez que vous êtes partis en vacances ensemble.
Vous venez de revenir et vous racontez vos vacances en classe.

11. Utilisez les ambiances photos suivantes pour imaginer ce que vous avez fait
(lieux, activités, atmosphère, temps, etc.).

Mobilisons-nous !

BOÎTE À OUTILS

Rappel des principaux verbes irréguliers au passé composé

Prendre → j'ai pris
Pouvoir → j'ai pu
Faire → j'ai fait
Lire → j'ai lu
Voir → j'ai vu
Avoir → j'ai eu
Être → j'ai été
Aller → je suis allé(e)
Partir → je suis parti(e)
Venir → je suis venu(e)

Les interrogatifs

Qu'est-ce que tu fais ?
Comment ça va ?
Où habites-tu ?
Combien ça coûte ?
Est-ce que vous parlez espagnol ?
Pourquoi étudies-tu le français ?
Quand commence le cours de français ?
Quelle heure est-il ?

Les possessifs (masculins féminins)

	Masculin	Féminin	Pluriel
Je (1re personne du singulier)	**mon** livre	**ma** voiture / **mon** entreprise	**mes** clés
Tu (2e personne du singulier)	**ton** livre	**ta** voiture / **ton** entreprise	**tes** clés
Il / elle (3e personne du singulier)	**son** livre	**sa** voiture / **son** entreprise	**ses** clés
Nous (1re personne du pluriel)	**notre** livre	**notre** voiture	**nos** clés
Vous (2e personne du pluriel)	**votre** livre	**votre** voiture	**vos** clés
Ils / elles (3e personne du pluriel)	**leur** livre	**leur** voiture	**leurs** clés

Les uns, les autres

Objectifs

Faire un portrait psychologique
Raconter des événements passés
Parler d'un événement populaire

Apprendre Rencontre Caractère PORTRAIT
témoignage ÉVÉNEMENT BÉNÉVOLE Retrouvailles
Fête populaire

Qui êtes-vous ?

Élise

Claire

Axel

B

1. Je suis quelqu'un de travailleur, organisé, ambitieux qui adore son travail. Je suis aussi quelqu'un de stressé et j'ai mauvais caractère.

2. Je suis quelqu'un de curieux, calme, aventurier, indépendant, voyageur. Je suis aussi quelqu'un de têtu et un peu autoritaire.
   obstiné(e) *très vite.*

3. Je suis quelqu'un de sociable, sympa, amusant, spontané et généreux. Quelquefois je suis dans la lune et mal organisé.
   imagine et rêve
   beaucoup

C

Florence

Damien

REPÉRER

1. Voici 3 qualités et 3 défauts.

- 3 qualités : sympathique – généreux – tolérant.
- 3 défauts : hypocrite – menteur – autoritaire.

a. Pour vous, quelle est la qualité la plus importante chez une personne ? Pourquoi ?
b. Quel est le défaut le plus insupportable ? Pourquoi ?
c. Regardez les 3 portraits du document A. Associez une qualité avec une personne. Justifiez.

COMPRENDRE

2. Observez les documents A et B. Associez les autoportraits aux photos d'Élise, d'Axel et de Claire.

3. Écoutez l'interview. Regardez aussi la vidéo !
Parmi les 3 participants, lequel trouvez-vous le plus :
- sympathique ;   - original ;   - farfelu.
Pourquoi ?
→ *Je pense que X est le plus farfelu parce que…*

quelqu'un de/d' + adj.

quelque chose de/d' + adj.

souriant

Découvrir ⇐

PRATIQUER

4. Portraits

Observez les photos du document C.

Par 2, faites un portrait psychologique de Florence et de Damien à partir de leur photo.

5. Mini quizz par 2

Et vous ? Échangez avec votre partenaire. Vous êtes :

- sociable ou solitaire ?
- calme ou stressé ?
- timide ou extraverti ?
- pragmatique ou dans la lune ?

À VOUS !

6. L'artiste Arman a utilisé des objets pour faire son autoportrait. À partir de deux objets, faites un portrait psychologique de l'artiste.

→ *Je pense qu'il aime la lecture parce que je vois un livre.*

SE PRÉSENTER

Vocabulaire

bonne humeur   *mauvais humeur*

	≠	
grand(e)		petit(e)
mince		gros(se)
sympathique		antipathique
gai(e) / joyeux(euse)		triste
généreux (euse)		égoïste
calme		stressé(e)
intelligent(e)		idiot(e)
attentionné(e)		froid(e)
curieux (euse)		distrait(e)
farfelu(e)		prétentieux (euse)
timide		têtu(e)
indépendant(e)		râleur (euse)
		menteur (euse)
		hypocrite

sédentaire   *nomade*

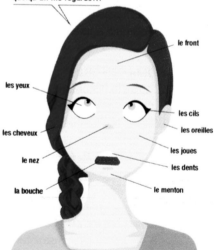

J'ai l'impression que quelqu'un me regarde…

le front
les yeux
les cils
les oreilles
les cheveux
les joues
le nez
les dents
la bouche
le menton

Communication

> Avoir bon caractère / mauvais caractère.
> Elle a les cheveux blonds / roux / châtain / brun / gris / blancs.
> Des cheveux longs / mi-longs / courts.
> Des cheveux raides / bouclés / frisés.
> Il a les yeux noirs / marron / bleus / verts.

MINUTES SON

[y] / [u]

a. Écoutez le texte et repérez le son [y].

b. Écoutez encore le texte et repérez le son [u].

➡ *Voir Cahier d'Entraînement U 1*

Au café Babel

incontro sharing
échange
overy
autre
intro
ento

Vous voulez améliorer votre français ?
Vous voulez rencontrer des Français désireux d'apprendre votre langue ?
Vous êtes Français et vous voulez maintenir votre niveau en langue étrangère ?
Vous voulez rencontrer des étrangers et leur faire découvrir votre ville ?

Venez partager votre langue autour d'un café tous les samedis matins de 9h30 à 11h30.

Première heure : conversation en français avec des Français.
Deuxième heure : échangez dans votre langue maternelle avec des Français.

TOUTES NATIONALITÉS BIENVENUES. FRAIS DE PARTICIPATION : 5€.
INSCRIPTION AU 01.45.69.50.98 - N'OUBLIEZ PAS DE PRÉCISER VOTRE LANGUE !

REPÉRER

1. Observez les documents et répondez aux questions.

a. Comment apprenez-vous le mieux le français : conversation avec des francophones, télévision, radio, livres, magazines, podcast, exercices en ligne ?

b. Pourquoi apprenez-vous le français : travail, voyage, plaisir, famille, amis... ?

COMPRENDRE

2. Lisez le document A et répondez aux questions suivantes.

a. Comment fonctionne le café Babel ?

b. Quels sont les deux principaux avantages du café Babel ?

3. Document B : écoutez attentivement ces témoignages sur le café Babel.

a. Êtes-vous d'accord avec les affirmations suivantes ?
- Marushka préfère pratiquer son français au café Babel parce que c'est plus économique que les cours.
- Ayda n'est pas très satisfaite de son expérience au café Babel.
- Marc vient régulièrement au café Babel pour pratiquer son anglais.

b. Écoutez une deuxième fois les témoignages. Qu'est-ce qu'ils disent ?
- Marushka : je rencontre / j'ai rencontré / je rencontrais deux Français.
- Marushka : on est allé / on va aller / on allait à une expo.
- Ayda : je suis venue / je venais / je suis allée 3 fois au café.
- Marc : j'ai vécu / je suis venu / je vivais aux États-Unis.

Exprimer

PRATIQUER

4. Le passé composé
Reconstituez le témoignage de Sarah au passé composé.

Je (venir) ... pour la première fois au café Babel il y a six mois avec ma copine Jessica. On (aimer) ... la formule. Après la conversation, nous (aller) ... visiter le quartier avec Marc. Je (faire) ... beaucoup de progrès en français.

5. Par groupe de 2-3 personnes, posez les questions suivantes au passé.
Utilisez la liste de propositions dans le tableau.

- Vous avez déjà ... ?
- Vous êtes déjà ... ?

→ *Vous êtes déjà allé en France ?*

Avoir sa photo dans le journal
Monter sur un bateau
Rencontrer une célébrité
Travailler dans un bar
Parler en public
Jouer de la musique en public
Venir à une soirée déguisée
Vivre à l'étranger
Écrire un blog
Être témoin à un mariage

À VOUS !

6. Romain est allé au café Babel pour rencontrer des étrangers. Cette photo a été prise deux mois plus tard.
Par 2, imaginez ce qu'il s'est passé entre les deux moments...

LE PASSÉ COMPOSÉ

Grammaire

> **Avoir + participe passé**

J'ai *regardé un film.*
Tu as *fini.*
Il/elle/on a *pris le train.*
Nous avons *bu un café.*
Vous avez *lu le journal.*
Ils/elles ont *fait du vélo.*

> **Être + participe passé**

· **Avec les verbes suivants :**
aller, venir, entrer, sortir, arriver, partir, monter, descendre, naître, mourir, rester, tomber.

· **Avec les verbes pronominaux :**
Je me suis *préparé(e).*
Tu t'es *amusé(e).*
Il/elle/on s'est *promené(e).*
Nous nous sommes *dépêché(e)s.*
Vous vous êtes *habillé(e)s.*
Ils/elles se sont *maquillé(e)s.*

> **Le participe passé**

Avec le verbe avoir, le participe passé ne s'accorde jamais avec le sujet.
Ils ont mangé des gâteaux.
Elle a bu un coca.

Avec le verbe être, le participe passé s'accorde avec le sujet.
Ils sont entrés dans le café.
Elles sont revenues au café.

Le passé composé avec...	
... avoir	**... être**
J'ai regardé	Je suis venu(e)
Tu as regardé	Tu es venu(e)
Il/elle/on a regardé	Il/elle/on est venu(e)
Nous avons regardé	Nous sommes venu(e)s
Vous avez regardé	Vous êtes venu(e)s
Ils/elles ont regardé	Ils/elles sont venu(e)s

MINUTES SON

[œ] / [e] / [ɛ]
a. Écoutez les mots et relevez les sons [œ] / [e] / [ɛ] entendus. Puis répétez les mots.
b. Écoutez les phrases et relevez les sons [œ] / [e] / [ɛ].

→ *Voir Cahier d'Entraînement* **U 1**

Événements populaires

BÉNÉVOLES POUR LA FÊTE DE LA MUSIQUE

Vous désirez devenir bénévole pour la Fête de la musique de Montréal le 21 juin ? Nous sommes à la recherche de bénévoles qui pourront nous aider pour différentes tâches tout au long de l'événement : accueillir et informer les festivaliers, les visiteurs et les artistes, aider à l'organisation et à la supervision des lieux... C'est une grande fête populaire et gratuite qui valorise les musiciens amateurs et tous les styles musicaux. C'est une fête que les foules du monde entier ont adoptée (dans 110 pays dont la Belgique, l'Espagne, l'Italie, la Pologne, le Sénégal) et qui attire de plus en plus de participants. C'est un événement où tout le monde fait la fête et découvre de nouveaux musiciens dans les rues, les cafés, les parcs.

REPÉRER

1. Observez les documents et répondez aux questions.

a. Imaginez quel type d'événement est photographié (qui l'organise ? qui participe ? dans quel but ? le fonctionnement, etc.)

b. D'après vous, quels sont les points communs des événements des documents A et B ?

COMPRENDRE

2. Écoutez l'interview et répondez aux questions suivantes.

a. Repérez les objets nécessaires pour le dîner en blanc :

des lunettes – des tables - des chapeaux – des gants – des chaises – une bouteille – un bon dîner – de l'argent – des vêtements blancs.

b. Quel est le nombre de participants ?

c. Quel est l'objectif de l'événement ?

d. Vrai ou faux ?

- On peut y aller sans invitation.

- On ne connaît pas le lieu de rassemblement.

3. Lisez le document B et répondez aux questions suivantes.

Qui organise l'événement ?	À qui est destiné l'événement ?	En quoi consiste l'événement ?	Où et quand a lieu l'événement ?
....	....	....	....

4. Écoutez encore l'interview et répondez par 2 aux questions suivantes.

a. Faites une liste des ressemblances et des différences entre la Fête de la musique et le dîner en blanc.

b. Et vous, à quel événement aimeriez-vous participer ? Pourquoi ?

Est-ce qu'il y a dans votre pays/ville de grands événements populaires ? Lesquels ?

Échanger

PRATIQUER

5. Qui ? Que ? Où ?

Complétez le texte avec les pronoms relatifs qui / que / où.

Sous les pavés, la plage !

L'événement populaire ... je préfère ? C'est Paris plages !
C'est un événement ... transforme complètement la ville de
Paris : les Parisiens ... ne partent pas en vacances découvrent
un autre Paris. Au bord de la Seine, les voies sur berges ...
la mairie transforme en plages, deviennent des lieux de détente
... l'on peut s'asseoir, boire un verre ou faire du sport.

---

6. Devinettes

Lisez les définitions suivantes et devinez de quoi / de qui on
parle (plusieurs réponses sont parfois possibles).

→ *C'est un accessoire que l'on met sur la main pour la protéger :
un gant.*

- C'est une fête française **qui** célèbre la Révolution française : .... .
- Une personne **qui** travaille sans salaire (dans une association,
un club...) : .... .
- C'est un jour **que** les enfants adorent : .... .
- C'est un lieu **où** l'on peut danser : .... .

À VOUS !

7. Répondez à cette annonce. Présentez-vous et expliquez
pourquoi vous voulez être bénévole à la Fête de la musique
(150 mots).

DEVENEZ BÉNÉVOLE À LA FÊTE DE LA MUSIQUE

Pour être bénévole, vous devez :

- être âgé de 18 ans et + ;
- assister à une ou deux réunions
d'information avant la tenue
de l'événement ;
- être disponible pendant
au moins une journée entière
entre le 20 et le 23 juin.

DÉPARTEMENT DE L'ACCUEIL
• Transmission d'informations
aux festivaliers et visiteurs
• Accueillir les artistes
et les renseigner
• Accueil lors des soirées
spéciales (ouverture, clôture)

MINUTES SON

Exclamation / affirmation / question

Écoutez et repérez pour chaque phrase s'il s'agit d'une affirmation,
d'une exclamation ou d'une question.

QUI / QUE / OÙ

Communication

> Un événement populaire peut être : amusant /
insolite / original / convivial / inattendu / étonnant...

> On **participe à** un événement populaire
comme bénévole ou artiste.

> On **assiste à** un concert où à un spectacle
comme spectateur.

> Un chanteur **donne** un concert.

> Le concert **a lieu** dans une salle de concert.

Grammaire

> **Le pronom relatif « qui » remplace
un sujet.**

L'homme est à la réception.
Cet homme est bénévole.
L'homme qui est à la réception est bénévole.

> **Le pronom relatif « que » remplace
un complément d'objet direct.**

Je contacte un homme.
Cet homme est bénévole.
L'homme que je contacte est bénévole.

> **Le pronom relatif « où » remplace
une indication de lieu ou de temps.**

Il habite un quartier.
Ce quartier est animé.
Le quartier où il habite est animé.

*Le jour où il est allé au dîner en blanc, il a rencontré
Sophie.*

⇨ *Voir Cahier d'Entraînement U 1*

Tâche finale

Ré-imaginez votre vie !
En groupes, vous imaginez des retrouvailles avec vos copains de lycée,
15 ans plus tard.

a. Prenez un petit papier et écrivez :
- une qualité ;
- un défaut ;
- un événement original auquel vous avez participé (ou auquel vous voudriez participer).
b. Donnez votre papier à un voisin. Et prenez le papier d'un autre.
c. Comme un acteur, vous jouez le rôle d'un personnage lors d'une soirée de retrouvailles.
À partir des trois mots écrits sur le papier, imaginez qui vous êtes, comment vous vivez,
votre comportement, vos goûts... Et racontez l'histoire de l'événement original auquel
vous avez participé.
d. Puis, par deux, jouez les retrouvailles avec votre partenaire.

TACTIQUES

- Imaginez que vous ÊTES vraiment votre personnage : adaptez
vos gestes, créez votre histoire. Inventez tout !

- Restez naturel comme dans une conversation normale.
Ne paniquez pas si vous ne connaissez pas un mot, vous pouvez
utiliser d'autres mots ou mimer.

- Posez des questions à votre partenaire sur ce qu'il/elle aime faire,
son caractère, ses activités de loisirs, son travail, son lieu de vie,
son caractère et l'événement auquel il a participé.

Préparation au DELF

COMPRÉHENSION DES ÉCRITS

1 **Lisez le texte puis répondez aux questions (5 points).**

a. Cette manifestation est pour :
- les commerçants ;
- les Parisiens ;
- tout le monde ?

b. Pour participer, il faut :
- apporter à manger ;
- être invité par un commerçant ;
- commander son repas ?

c. Dites si ces affirmations sont vraies ou fausses. Justifiez votre réponse en citant une phrase ou une expression du texte.
- C'est un événement nouveau.
- Il faut prendre sa vaisselle.
- Les enfants sont les bienvenus.

11ᵉ édition

Repas de la **rue Cler**

Vous qui habitez le 7ᵉ arrondissement !

Vous qui appréciez le quartier !

Ou vous qui souhaitez le connaître !

Venez nous rejoindre avec votre pique-nique

Pour la 11ᵉ année consécutive, l'association Sympa 7 et l'Union des commerçants de la rue Cler vous invitent au traditionnel dîner de rue.

Rendez-vous rue Cler avec votre panier repas,
(de préférence un menu facile à partager, par exemple : quiches, salades, charcuteries, gâteaux, etc.).

Couverts, assiettes, verres seront à votre disposition.
Une animation de rue sera proposée aux enfants

2 **Lisez le texte puis répondez aux questions (5 points).**

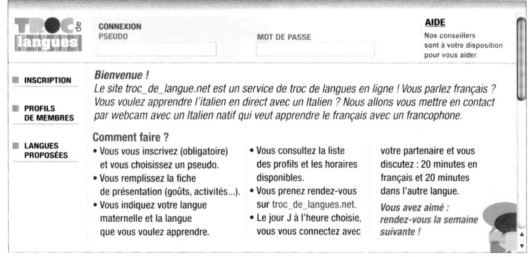

TROC de **langues**

CONNEXION
PSEUDO

MOT DE PASSE

AIDE
Nos conseillers sont à votre disposition pour vous aider.

■ INSCRIPTION

■ PROFILS DE MEMBRES

■ LANGUES PROPOSÉES

Bienvenue !
Le site troc_de_langue.net est un service de troc de langues en ligne ! Vous parlez français ? Vous voulez apprendre l'italien en direct avec un Italien ? Nous allons vous mettre en contact par webcam avec un Italien natif qui veut apprendre le français avec un francophone.

Comment faire ?
- Vous vous inscrivez (obligatoire) et vous choisissez un pseudo.
- Vous remplissez la fiche de présentation (goûts, activités...).
- Vous indiquez votre langue maternelle et la langue que vous voulez apprendre.

- Vous consultez la liste des profils et les horaires disponibles.
- Vous prenez rendez-vous sur troc_de_langues.net.
- Le jour J à l'heure choisie, vous vous connectez avec

votre partenaire et vous discutez : 20 minutes en français et 20 minutes dans l'autre langue.

Vous avez aimé : rendez-vous la semaine suivante !

a. Troc_de_langue est un site : de traduction / de rencontre internationale / d'échange linguistique ?
b. Ce site est gratuit : vrai / faux / on ne sait pas ?
c. Les participants sont mis en contact avec : un professeur / un natif / un programme d'ordinateur ?
d. Une fois inscrit vous utilisez ce service quand vous voulez : vrai / faux / on ne sait pas ?

PRODUCTION ÉCRITE

3 **Pendant vos vacances vous avez rencontré une célébrité. Vous écrivez un e-mail (ou courriel) à un(e) ami(e) pour raconter la rencontre et décrire la personne (60-80 mots) (10 points).**

ET PLUS ...

1. UN CAFÉ LIBRAIRIE

LE CAFÉ LIVRES À LILLE
UN CAFÉ CONVIVIAL AUTOUR DU LIVRE

« Encore un café philo », direz-vous. Pas du tout ! Bien qu'encore rares, les cafés librairie ne sont pas nouveaux en France. « Il en existe une soixantaine, dont une grosse vingtaine en Bretagne. Il existe même une fédération. » Le concept est assez simple. Il s'agit de proposer un endroit chaleureux et accueillant, dans lequel il est possible de boire un verre, de lire un livre, voir même d'associer les deux. « L'idée est de faire de cet endroit un lieu de mixité sociale, que chacun s'y sente chez soi. Les gens viennent ici pour boire un verre entre amis ou un café l'après-midi car avant tout, c'est un bar. Mais, j'ai voulu donner un côté intimiste avec les étagères de livres et les fauteuils destinés à la lecture. » Et le pari est réussi. À peine entré, une musique jazz personnalise le lieu sans en briser la quiétude*. L'endroit est apaisant, calme, propice à la lecture.
Le client a le choix. S'installer au bar et discuter avec Agnès, choisir un livre sur l'une des nombreuses étagères et s'asseoir dans un fauteuil pour découvrir l'ouvrage et peut-être l'acheter (et oui, les livres sont en vente !), ou goûter à la cuisine maison avec une quiche ou une soupe.

Source : Stéphane Pralat, www.lavoixdunord.fr, 02/08/2009.

* quiétude : tranquillité, calme.

> Quelles sont les particularités du café librairie ?

> Voudriez-vous aller dans ce genre de café ? Pourquoi ?

> Quel genre de café fréquentez-vous d'habitude ? Pourquoi ?

2. PARIS PLAGES

> Que font les Parisiens sur cette photo ?

> D'après vous, est-ce que cette scène est habituelle à Paris ?

> Et votre ville ? Est-ce qu'elle se transforme parfois dans l'année ? À quelle occasion ?

CARNET PRATIQUE

> **Le café livres :**
35, rue des Bouchers – 59000 Lille. Tél : 03 20 78 17 56.
Les dons de livres sont les bienvenus.

> **Paris plages :** palmiers, transats, concerts, activités nautiques... Paris plages, c'est parti mais on n'en sait jamais assez sur cet événement de l'été parisien. Retrouvez toutes les infos pratiques et les réponses à quelques questions essentielles comme : où pique-niquer, y a-t-il des accès handicapés, peut-on encore faire de l'aquagym ? Paris plages de mi-juillet à mi-août tous les ans. http://www.paris.fr/loisirs/paris-plages

Amis, amours, portable !

Objectifs

Exprimer l'interdiction
Raconter une rencontre
Savoir utiliser le téléphone

Liaison   DÉCEPTION

Rupture   Relation   Âme sœur

Petit(e) ami(e)   hasard   SECRET   **DRAGUER**

Mes amis et moi !

Êtes-vous prêt à monter un projet professionnel avec des amis ?

Oui, ça me plairait énormément : c'est un moyen d'avoir des associés de confiance et aussi de travailler dans une ambiance conviviale.
J'ai déjà collaboré professionnellement avec des amis et ça s'est toujours bien passé, alors je suis tout à fait partante !

Noémie 36 ans, architecte

Non, à mon avis, l'amitié est une chose et le travail en est une autre. Je ne voudrais vraiment pas mélanger les deux. Je pense que c'est très risqué de s'associer avec des amis, car les problèmes pratiques et financiers peuvent provoquer des conflits et gâcher les relations amicales.

Fabien 50 ans, photographe

Je pense que cela dépend des situations. Pour réussir un projet entre amis, il vaut mieux s'assurer que l'on partage la même conception de la gestion financière et la même vision profession- nelle. En fait, il faut bien définir les rôles et les objectifs, pour éviter les malentendus et les conflits

Frédéric 28 ans, responsable commercial

A

B

REPÉRER

1. Observez les documents et répondez aux questions.

a. Imaginez qui sont les personnes sur les photos.
Quelles sont leurs relations ? Où se sont-ils rencontrés ?
b. Donnez 2 points positifs et 2 points négatifs au travail entre amis.

COMPRENDRE

2. Classez les types d'amis suivants, du moins proche au plus proche (certains peuvent être de même intensité) :

un ami – un copain – un pote – une connaissance – un ami intime – une relation – un voisin – un ami d'enfance – un ami proche – un collègue de travail – un ami « virtuel ».

3. Écoutez les dialogues du document B. Regardez aussi la vidéo !

Associez un dialogue avec un titre : Les inséparables – Copain copine – Retrouvailles par Internet.

4. Lisez rapidement le document C. D'après l'article, quels sont les quatre critères essentiels pour réussir un projet avec des amis ? Choisissez les expressions justes parmi celles-ci :

l'ambition – la confiance – la sympathie – la curiosité – la discrétion – l'humour – la franchise – l'intelligence – les mêmes points de vue – la délicatesse – le courage – la complémentarité.

5. Parmi les mots suivants, repérez les mots qui sont de la même famille que le mot « ami ». Puis faites une phrase pour illustrer leur sens.

Amicalement – amer – aimable – amidon – aimer – amitié – amibe – amant.

6. Associez les phrases suivantes, extraites des dialogues (doc. B), avec leur contraire :

On s'entend très bien   •   •   On est plutôt sérieux ensemble
On a perdu le contact   •   •   On a gardé contact
On s'amuse comme des fous   •   •   On est comme chien et chat

C

Pour monter un projet professionnel, choisissez des amis et non des copains

- Choisissez une personne en qui vous avez confiance, que vous connaissez assez pour savoir comment réagir si, par exemple, il perd le moral, s'il devient désagréable avec les clients... Soyez* surtout attentif à son rapport à l'argent : votre ami est-il à l'aise pour en parler ? Surtout posez des bases claires dès le départ.

- Privilégiez quelqu'un qui a le même état d'esprit que vous : pour créer une boutique, il est préférable d'avoir les mêmes goûts pour choisir une collection. Si vous ouvrez un hôtel, par exemple, vous devez être d'accord sur le style du décor et de l'accueil...

- Une personne complémentaire serait idéale, aussi bien par ses compétences (elle est plutôt à l'aise en gestion et vous en relation clientèle), que par son caractère.

*Impératif du verbe être.

PRATIQUER

7. Posez-vous ces questions par 2. Utilisez un maximum de vocabulaire vu dans la leçon.

a. Pourquoi votre meilleur ami est-il/elle votre meilleur(e) ami(e) ?
b. Qu'est-ce qu'il y a d'unique dans votre relation ?
c. Imaginez 4 choses qu'il ne faut surtout pas faire quand on s'associe avec des amis pour un projet professionnel. Aidez-vous des documents A et C.

À VOUS !

8. Mettez-vous par groupe de 2 ou 3.

Vous êtes 3 amis et vous avez décidé d'ouvrir un café ensemble. Ce sera un café plutôt branché, en centre-ville, avec des événements culturels (des concerts, des rencontres d'artistes et des ateliers théâtre). Ensemble, vous établissez 6 règles de base pour éviter les malentendus et les conflits futurs entre vous (utilisez le pronom *on*).
→ *On ne parle pas de travail pendant les rendez-vous privés.*

MINUTES SON

a. Écoutez les mots et dites si vous entendez le son [p] ou [b].
b. Écoutez les paires de mots et dites si vous entendez p/p, b/b ou p/b.
c. Écoutez et répétez :
Patricia, cette brune qui aime les prunes, habite Brest, mais préfère Naples.

L'INTERDICTION

Vocabulaire

> Un ami – un copain – un pote – une connaissance – une relation

> Une relation : idyllique / divertissante / enrichissante

> Être complémentaire(s), complice(s)

> Bien s'entendre – garder/perdre le contact – se retrouver

> S'amuser ensemble = plaisanter = se divertir, passer un bon moment ensemble

> Se disputer ≠ se réconcilier

> Partager des choses, des souvenirs, des moments...

> Se connaître depuis...

Communication

> **Exprimer l'interdiction :**

- Il ne faut pas...
- Il faut absolument éviter de ... } + INFINITIF
- On ne doit pas...

Il ne faut pas choisir une vague connaissance.
On ne doit pas mélanger travail et amitié.

> **On** peut remplacer le nous.

On a décidé de partir ensemble = nous (Isa et moi) avons décidé de partir ensemble.

> **On** peut remplacer un sujet humain général.

On entre par cette porte = les gens entrent par cette porte.

⇨ *Voir Cahier d'entraînement U 2*

27

Amis ? Et plus si affinités...

Train 6043 - Paris-Bordeaux - Le 22/06/2011

Toi : brune, robe rouge, veste à fleurs. Tu as fermé ton livre.
Moi : veste de sport jaune. Quand je suis monté, j'ai ramassé ton livre
La diagonale des erreurs. Nos regards se sont croisés. C'était le matin. Tu es descendue
à Angoulême. Je voudrais te revoir.
Réf. 062215

Vol AF 8280 - Marseille-Amsterdam - Le 22/06/2011

Vous étiez à l'enregistrement du vol avec votre violon. Il y avait du monde. **Nous** avons
parlé d'Éric Satie. J'aimerais partager un *Morceau en forme de poire* autour d'un verre.
À Marseille, un soir, peut-être ?
Réf. 062254

Fête de la musique - Esplanade des Invalides - Le 21/06/2011 vers 21h

Grand, brun, 25-30 ans, avec un ami. J'étais avec ma soeur, c'était le soir. **Nous** avons
échangé quelques sourires. Tu m'as offert un chewing-gum à la menthe. **On** s'est
recroisé 2 heures plus tard sur le pont des Arts. Tu m'as fait un signe de la main.
Je souhaiterais mieux te connaître.
Réf. 062247

B

Le hasard fait bien les choses...

REPÉRER

1. Document A : pour chaque annonce, précisez qui a écrit l'annonce et à qui elle est destinée.

2. Observez et écoutez le document B. Reliez les expressions qui ont le même sens.

Coup de foudre · · Être obsédé par quelqu'un

Être sur un petit nuage · · Passion soudaine pour quelqu'un

Ne pas pouvoir se sortir quelqu'un de la tête · · Nager dans le bonheur

Exprimer ⟵

COMPRENDRE

3. Lisez et mimez chaque scène du document A.

4. Écoutez encore le document B. Dites si ces affirmations sont vraies ou fausses.

- Sophie est partie à Rennes pour rencontrer le directeur d'agence.
- Dans le train elle est tombée amoureuse d'un voyageur.
- Le voyageur assis à sa place travaillait sur son ordinateur.
- Sophie était sûre de le revoir.
- Elle a revu le voyageur le soir pour dîner.

PRATIQUER

5. Faites une annonce pour une personne que vous avez croisée récemment et que vous voudriez revoir.

6. Mobilisez vos connaissances ! Imaginez leur rencontre et leur séparation en utilisant au moins trois expressions :
Rencontrer qqn – aborder qqn – avoir un rendez-vous – avoir le coup de foudre pour qqn – une relation amoureuse – se séparer de – se disputer avec – se lasser de.

À VOUS !

7. Réalisez une publicité pour un site de retrouvailles pour francophones dans votre ville (nom, illustration, logo, slogan, description du fonctionnement du site…).

MINUTES SON

Écoutez et dites quel est le mot prononcé.

- pile / pelle   - parti / partez   - tir / terre
- sali / salé   - appris / après   - il / elle

C'ÉTAIT / IL Y AVAIT

Communication

Pour situer une action dans le passé, on utilise les **formes impersonnelles** :
c'était / il y avait / il faisait.

> C'était

« C'était » s'emploie pour situer une action dans le temps **ou un** lieu.
***C'était** le 14 juillet, **c'était** en été, **c'était** à Paris.*

> Il y avait

« Il y avait » permet de décrire l'environnement.
***Il y avait** du monde dans la rue, **il y avait** des fleurs dans le jardin…*

> Il faisait

« Il faisait » donne une indication sur le temps météo.
***Il faisait** beau et **il faisait** chaud.*

Grammaire

> **Au passé composé** on utilise le verbe être suivi du participe passé pour :

· Les verbes pronominaux (exemple : se voir)
Je me suis vu(e)
Tu t'es vu(e)
Il/elle/on s'est vu(e)
Nous nous sommes vu(e)s
Vous vous êtes vu(e)s
Ils/elles se sont vu(e)s

· Les verbes suivants : aller, venir, partir, entrer, sortir, monter, descendre, tomber, naître, mourir, passer…

> **Pour ces verbes, le participe passé s'accorde** (en général) avec le sujet.
Elles sont tombées
Ils se sont rencontrés
Elle s'est regardée…

> **Avec tous les autres verbes, on utilise avoir.** Dans ce cas, le participe passé ne s'accorde **jamais** avec le sujet.
Elle a revu un voyageur.
Ils ont suivi le même chemin.

⟹ *Voir Cahier d'entraînement* **U 2**

T'es où ?

REPÉRER

1. Écoutez et observez les documents.
Faites votre portrait d'utilisateur du téléphone.
Et essayez de faire le portrait de Lucie.

Comment utilisez-vous votre portable ? ...

Avec votre portable...	Vous	Lucie
À qui téléphonez-vous ?		
Quand ?		
D'où ?		
À qui envoyez-vous des textos ?		
Consultez-vous Internet sur votre téléphone ?		
Faites-vous des photos ?		

COMPRENDRE

2. Document A. Écoutez Lucie qui parle au téléphone et répondez à ces questions.

- Lucie est : chez elle / au restaurant / à l'aéroport.
- Elle parle à : une collègue / sa mère / un client.
- Elle a laissé des textos à Jessica / elle a envoyé un mail à Jessica / elle a demandé à quelqu'un de l'appeler.
- Elle accepte le double appel / elle rejette le double appel / elle raccroche son téléphone.
- Elle va : appeler son client / envoyer un mail au client / envoyer un texto au client.
- Elle annonce qu'elle ne travaille plus avec Star : par texto / par mail / par téléphone.
- L'homme trouve que Lucie : dérange / a raison de travailler / devrait jouer du violon.

3. Documents A et B. Que pensez-vous de la conversation de Lucie ?

À votre avis, est-ce qu'il y a des attitudes impolies ? Lesquelles ?
Classez-les, selon vous, de la plus impolie à la moins impolie.
Comparez avec les règles d'utilisation en France...

INACCEPTABLE = ça ne se fait pas	OUI, DANS CERTAINES SITUATIONS	TOUT À FAIT ACCEPTABLE = ça se fait

PRATIQUER

4. Le téléphone sonne !

Lisez le document B. Et vous, que faites-vous dans les situations suivantes ?
Par 2, discutez de vos réactions : si c'est votre téléphone, ou celui de votre voisin. Puis simulez la scène avec la réaction qui vous semble la plus appropriée.

a. Vous êtes dans le train. C'est votre mère qui vous appelle.
b. Vous êtes en tête à tête au restaurant. C'est votre chef qui vous appelle.
c. Vous êtes dans le bus. C'est votre meilleur(e) ami(e) qui vous appelle.
d. Vous êtes en réunion de travail. C'est une relation de travail qui vous appelle.
e. Vous êtes à la caisse du supermarché. C'est votre conjoint qui vous appelle.

96 % des Français ont un téléphone portable   96 % des Français ont un

Échanger

B

TÉLÉPHONE PORTABLE EN FRANCE : LES 5 RÈGLES D'OR DE SAVOIR-VIVRE

Vous avez un téléphone portable ?
Parfait ! Mais savez-vous l'utiliser en société ?
La société TNS Sofres a mené une enquête
sur les règles de savoir-vivre du portable.

1 - Quelle sonnerie choisir ?

Discrète. Évitez les hit parades ou les musiques
des grands compositeurs (Toccata de Bach,
9e Symphonie de Beethoven…). Si vous êtes
dans un lieu public, préférez le vibreur.

2 - À quelle heure pouvez-vous appeler ?

Aux heures de bureau si c'est professionnel : jusqu'à 19h.
Plus tard, envoyez un message. Si c'est amical, vous pouvez
appeler plus tard, jusqu'à 22h.

3 - Vous recevez un appel : vous êtes en tête en tête ou en réunion

De préférence rejetez l'appel. Si ce n'est pas possible,
excusez-vous, levez-vous et sortez de la salle. Essayez
d'écourter l'appel en proposant de rappeler.

4 - Vous êtes dans un lieu public

Si vous ne pouvez pas vous isoler, essayez de ne pas parler
trop fort. 55 % des Français estiment normal de vous
demander de parler plus doucement. Évitez les conversations
trop personnelles ou confidentielles. Dans les trains par
exemple, il existe des espaces pour téléphoner.

5 - Vous appelez

« T'es où ? ». La question peut être embarrassante… Préférez
une question plus neutre : « je ne te dérange pas ? ».
La personne le plus souvent vous répondra « non, non, je
suis en train de faire la queue au cinéma, au supermarché… »

À VOUS !

**5. Rédigez votre propre charte d'utilisation du téléphone
portable.**

MINUTES SON

Écoutez et lisez les phrases suivantes. Quels mots contiennent [ɥi] ou [wi] ?

- Aujourd'hui il lui a dit oui.
- Il n'aime pas les fruits sauf les kiwis.

PARLER AU TÉLÉPHONE

Communication

> Savoir-vivre de l'utilisation du portable

- Dans le train, merci d'éteindre votre téléphone ou
d'aller en bout de voiture pour téléphoner.

- Merci de laisser votre téléphone en mode silencieux pendant le trajet.

- S'il vous plaît, vous pourriez parler moins fort ?

- Le bip de votre téléphone gêne / dérange les autres
passagers.

- Vous exagérez, vous parlez beaucoup trop fort !

- Votre conversation dérange tout le monde dans
le café.

- Ça se fait = c'est acceptable.

- Ça ne se fait pas = c'est inacceptable.

> Les réactions

- Je ne supporte pas les gens bruyants dans un train.

- Quand quelqu'un parle fort au téléphone, ça me
gêne / dérange et je ne peux pas me détendre.

- Quand quelqu'un écrit des textos (ou SMS) dans
le train, ça ne me dérange pas / ça ne me gêne pas /
ça m'est égal.

- Quand quelqu'un met les pieds sur le siège dans le
métro, ça m'exaspère / ça me choque.

- Quand quelqu'un me passe devant dans la queue,
ça m'agace.

Vocabulaire

> Allumez ≠ éteignez votre portable !

> Écrire ou envoyer un texto à quelqu'un

> Appuyer sur une touche

> Mettre son téléphone en mode silencieux / vibreur

> Écouter ses messages sur sa boîte vocale

⇨ *Voir Cahier d'entraînement* **U 2**

Action !

Tâche finale

La compagnie Eurostar voudrait proposer des voyages « rencontres » entre Paris et Londres, qui regroupent les personnes avec des but communs (amical, professionnel, touristique...). Les passagers pourraient se contacter par Internet ou téléphone portable.

a. Imaginez une page de publicité pour ces voyages « rencontres » :
- le titre ;
- le mode de fonctionnement ;
- les règles de convivialité ;
- un slogan.

b. Vous jouez une situation de rencontre. Vous devez indiquer :
- la personnalité des participants (âge, profession, etc.) ;
- le but de leur voyage ;
- le but de la rencontre.

TACTIQUES

- Faites une liste des centres d'intérêts qui pourraient rassembler des voyageurs pour une occasion donnée. Pensez par exemple à vos propres activités de loisirs. Choisissez-en 3 au maximum.

- Pour trouver un slogan, essayez de faire le lien entre ces centres d'intérêts et le train, le voyage, la destination...

- Pour jouer la scène, mettez-vous debout et imaginez que la rencontre se passe au bar du train. Avant de jouer, notez tout le vocabulaire et les expressions de l'unité que vous pouvez réutiliser.

Préparation au DELF

COMPRÉHENSION DE L' ORAL

Vous allez entendre 3 documents sonores. Répondez aux questions en donnant la bonne réponse ou en écrivant l'information demandée (10 points).

1 Écoutez le document et donnez les bonnes réponses.

	Vrai	Faux	On ne sait pas
Audrey et Léo sont des amis d'enfance.			
Audrey est parisienne.			
Audrey va chaque année à cette plage.			
Léo invite Audrey à boire un verre.			
Léo habite la région.			
Audrey a rendez-vous avec une amie.			

2 Écoutez le document et donnez les bonnes réponses.
- Il reste sur le compte de la personne : 0,05 € / 0,15 € / 0,50 €.
- Pour parler à quelqu'un, il faut appuyer sur la touche : 1 / 2 / 3.
- Pour recommencer au début il faut appuyer sur la touche : * / # / @.

3 Écoutez le document et donnez les bonnes réponses.
- L'appel se passe dans : une gare / un aéroport / un port.
- L'embarquement : va commencer / vient de commencer / va se terminer.
- L'embarquement se fait porte : 31 / 41 / 81.
- Les passagers appelés sont : des amis / des collègues / on ne sait pas.

PRODUCTION ORALE

4 Monologue suivi (5 points).

Vous retrouvez un(e) ami(e) avec qui vous avez été au lycée. Pendant 2 minutes, vous lui expliquez ce que vous avez fait depuis le lycée (études, profession, voyages, vie familiale...).

5 Observez ce document et, par 2, jouez la scène proposée pendant 4 minutes (5 points).

Forfait mensuel Hermos
10h de conversation France métropolitaine
3h Europe / États-Unis / Canada
Internet 64 GB de chargement
SMS illimités
Engagement 36 mois
Smartphone pour 1€

- <u>Un étudiant</u> : vous voulez un téléphone portable. Vous vous informez sur un nouveau forfait en promotion.
- <u>Un vendeur</u> : vous travaillez dans un magasin de téléphonie. Vous présentez à l'étudiant le nouveau forfait de votre entreprise.

ET PLUS ...

1. LES FRANÇAIS AIMENT RECEVOIR

Selon une étude de l'INSEE, les Français dépensent beaucoup pour inviter chez eux famille et amis.

Le Français aime inviter ses amis. C'est ce qui ressort d'une étude de l'INSEE publiée vendredi sur les habitudes de consommation des Européens. En 2009, les ménages français ont consommé 18 % de plus en alimentation et boissons (hors alcool) que la moyenne européenne, et d'une manière différente. La France est le deuxième pays d'Europe en consommation d'alcool par habitant, derrière l'Allemagne. Une consommation qui se fait essentiellement à domicile. En effet, à l'inverse de ses voisins européens, le Français aime recevoir, inviter ses amis à manger ou à boire l'apéro.
« Par rapport aux autres cultures, les Français sont très attachés à ce modèle d'invitation chez soi, explique Pascale Hébel, directrice des études de consommation au Crédoc*. Chez les Allemands par exemple, on invite très rarement à manger. On invite pour boire un verre ou simplement discuter, mais pas pour partager. »

« Mieux que le restaurant »
Des habitudes que ne stopperaient pour rien au monde certains de nos concitoyens. « C'est convivial. C'est mieux de se retrouver dans une maison pour être tous ensemble pour partager ces moments plutôt que de se retrouver au restaurant. Ça n'a pas le même aspect de convivialité » [...].
Et si le Français dépense plus pour recevoir ses amis à dîner, il sort beaucoup moins que les autres Européens. « La consommation dans les cafés, pubs et salons de thé » en France est « l'une des plus basses d'Europe », selon le rapport de l'INSEE.

Source : Europe1.fr, Fabien Cazeaux, 6 mai 2011.

* Crédoc : centre de recherches pour l'étude et l'observation des conditions de vie.

> Est-ce que les Français préfèrent recevoir chez eux ? Pour dîner ou pour boire l'apéritif ?

> Est-ce que les Français passent beaucoup de temps au café ?

2. LA CONVIVIALITÉ EST D'ABORD FAMILIALE

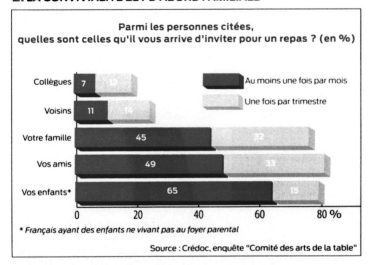

Parmi les personnes citées, quelles sont celles qu'il vous arrive d'inviter pour un repas ? (en %)

- Au moins une fois par mois
- Une fois par trimestre

	Au moins une fois par mois	Une fois par trimestre
Collègues	7	13
Voisins	11	14
Votre famille	45	32
Vos amis	49	33
Vos enfants*	65	15

* Français ayant des enfants ne vivant pas au foyer parental

Source : Crédoc, enquête "Comité des arts de la table"

> Et vous, dans votre pays, où voyez-vous vos amis ?

> Qui recevez-vous chez vous ? (amis, famille, collègues ?)

> Est-ce que vous partagez un repas ? Des boissons ?

Voyager autrement

Objectifs

Exprimer la satisfaction / l'insatisfaction
Décrire son logement
Comparer et choisir

Suivez le guide !

Naissance d'un Greeter

J'aime Marseille...

Je connais Marseille...

Je suis Marseille !

...je suis un
greeter

Vous voulez passer un séjour ou des vacances **enrichissantes** et **originales** ? Hors des sentiers battus ? Et faire de **nouvelles rencontres** ? Vous pensez que le tourisme peut être une source d'**échanges culturels** ?

Alors venez avec nous faire un tour du côté de l'autre tourisme...

Les **greeters** vous proposent des visites **sur-mesure** pour faire découvrir les adresses, **typiques** et **atypiques**, les **trésors cachés**, les rendez-vous, les petites habitudes et les **grandes histoires** d'une ville et de sa région.

REPÉRER

1. Observez les documents.

a. Expliquez ce qu'est un « *greeter* ».

b. Vous préférez visiter une ville :

– avec un guide touristique ?

– avec un guide professionnel ?

– avec un habitant ?

c. Vous voudriez voir :

– des monuments historiques ?

– des restaurants typiques ?

– des lieux originaux ?

Etienne

Sandra

COMPRENDRE

2. Observez et écoutez le document C. Regardez aussi la vidéo !

Retrouvez le « *greeter* » qui correspond à chaque phrase.

a. Il/elle est fan des transports, il/elle a des contacts dans le monde entier.

b. Il/elle se passionne pour la création.

c. Ce « *greeter* » emmène ses touristes boire un verre dans des lieux méconnus.

3. Écoutez et observez attentivement le document C. Vrai ou faux ?

- Sandra habite Lille depuis 4 ans.

- Sandra travaille dans la mode.

- Etienne propose de découvrir la périphérie de la ville.

Khaled

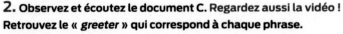

Découvrir

- Etienne est un guide professionnel.
- Khaled connaît bien le réseau de métro de Lille.
- Khaled ne trouve pas de personnes intéressées par son « greet ».

4. Suggérez un « greeter » (Etienne, Sandra ou Khaled) à ces touristes qui visitent Lille :

- Sylvia est autrichienne et elle voyage avec son mari et ses deux enfants.
- Ludwig et Hans sont allemands et parcourent la France à vélo.
- Solveig est norvégienne et aime découvrir la peinture moderne.

5. Satisfaction / insatisfaction

Les personnes suivantes sont-elles satisfaites ou insatisfaites ?
- Amélie : « Je raffole des rencontres inattendues. »
- Magali : « J'en ai assez de faire la queue. »
- Jérémy : « J'ai horreur des voyages en groupe. »
- Romain : « Je suis mordu de photos de rue. »

PRATIQUER

6. Conjuguez les verbes au présent.

> #### « Greet » d'un jour, « greet » toujours
> Je (découvrir) ... la plupart des villes avec des « greeters » : New York, Bruxelles, Toulouse, etc. Grâce au système des « greets », on (pouvoir) ... faire des visites originales et conviviales.
> Les « greeters » (ouvrir) ... des portes inattendues, (connaître) ... leur ville sur le bout des doigts et (faire) ... leur possible pour rendre la visite enrichissante.
> Généralement, nous (boire) ... un verre à la fin de la visite, et nous (pouvoir) ... aussi échanger nos adresses électroniques s'ils le (vouloir) ... bien. Maintenant, je suis devenu « greeter » à Lyon, c'est contagieux !

À VOUS !

7. Vous êtes « greeter » dans votre ville ou votre région.
Vous préparez une visite pour un couple de touristes français. Choisissez votre spécialité et présentez votre projet.

MINUTES SON

Écoutez. Est-ce que les lettres soulignées se prononcent [o] (comme « beau ») ou [ô] (comme « Paul ») ? Et comment s'écrivent ces sons ?
- Arnaud est parti à Bordeaux prendre un bol d'air. - Il a visité la ville à vélo avec un greeter local. - Il a dîné dans un bistrot retro. - Il a beaucoup aimé le port.

SATISFACTION INSATISFACTION

Vocabulaire

> Un endroit – une sortie – une exposition
> Voyager – se promener – se balader
> Un guide – un accueil
> Typique – traditionnel – méconnu
> Aimer, adorer ≠ détester
> Préférer – échanger
> La satisfaction ≠ l'insatisfaction
> Être satisfait(e) ≠ être insatisfait(e)

Communication

> Je **raffole de** chocolat
> Je **suis fou / folle de** chocolat
> Je **suis mordu(e) de** sport

> Je **ne supporte pas** la foule / de faire la queue
> J'ai horreur de / j'en ai marre (/ assez) de faire la queue (+ infinitif)
> J'ai horreur de / j'en ai marre (/ assez) du bruit (+ groupe nominal)

Grammaire

> Certains verbes ont **3 formes de construction** au présent. Ce sont des verbes **irréguliers** :

Vouloir	Pouvoir	Boire
je **veux**	je **peux**	je **bois**
tu **veux**	tu **peux**	tu **bois**
il/elle/on **veut**	il/elle/on **peut**	il/elle/on **boit**
nous **voulons**	nous **pouvons**	nous **buvons**
vous **voulez**	vous **pouvez**	vous **buvez**
ils/elles **veulent**	ils/elles **peuvent**	ils/elles **boivent**

> Certains verbes en -ir se conjuguent comme les verbes en -er (*offrir, ouvrir, découvrir...*).
Je découvre, tu découvres, etc.

➯ *Voir Cahier d'Entraînement U 3*

L'échange de maisons

http://www.cheztoicheztoit.fr

chez toi chez toit .fr
Troquez loin, troquez bien !

Antilles françaises
Villa en Martinique tt confort,
2 chbres, 1 sdb, grand jardin, piscine.
Avec 1 voiture.

Canada
Cabane de bûcheron, Québec,
3 chbres, 1 sdb, 2 voitures.
Lieu exceptionnel, isolé.

France métropolitaine
3 pièces, immeuble ancien, Paris 5e
arr., 6e étage ss ascenceur. Calme,
clair, coquet. Gd salon, terrasse.
Proximité du métro et des commerces.

Vous en avez assez des locations de vacances et des hôtels hors de prix ? Si vous souhaitez voyager autrement et vous offrir un pied à terre à l'autre bout du monde sans vous ruiner, rien de mieux que d'**échanger sa maison** ! Inscrivez-vous à **cheztoicheztoit.fr** et rencontrez immédiatement des centaines d'échangeurs de maison du monde entier. Abonnement d'1 an : 40 €.

1. *Inscrivez-vous en ligne facilement.*
2. *Sélectionnez une maison et organisez votre échange.*
3. *Échangez votre maison rapidement !*

REPÉRER

1. Observez le document A. Comment fait-on pour échanger son logement ?

COMPRENDRE

2. Observez le document A et répondez à ces questions.

a. Associez les caractéristiques suivantes à chaque logement.
- Style : rustique – moderne – ancien – classique.
- Cadre : paradisiaque – sauvage – citadin – pittoresque.
- Ambiance : calme – animée – bruyante.

b. Discutez par 2.
- Dans lequel de ces 3 logements de vacances voudriez-vous partir ? Pourquoi ?
- Lequel des 3 logements de vacances est le plus dépaysant pour vous ? Pourquoi ?

3. Écoutez : Sonia et Milo consultent un site d'échange de maisons.
a. Quels sont les 3 échanges envisagés par Sonia et Milo ?
b. Quels sont les problèmes rencontrés lors de leurs précédents échanges ?
c. Discutez par 2 :
- D'après vous, quels sont les principaux avantages de l'échange de maisons ?
- Et vous, voudriez-vous faire un troc de maisons ? Pourquoi ?

Exprimer ⇐

PRATIQUER

4. **Mettez à l'imparfait les verbes du texte.**

> Mon premier échange de maisons ? C'était en 2005, avec un couple de Norvégiens. Leur maison (se situer) ... au bord de l'océan, il y (avoir) ... des falaises tout près de la maison. Tous les jours, mon amie et moi (faire) ... de longues promenades le long des falaises, et nous (apprendre) ... le norvégien avec les voisins. Quand il (faire) ... trop froid, nous (lire) ... tranquillement devant la cheminée.

5. **Lisez attentivement le document A. De la même façon, formez des adverbes à partir des adjectifs entre parenthèses.**

→ *Inscrivez-vous en ligne facilement.*

a. Grâce au troc de maisons, nous voyageons (économique) ... .
b. Quand vous êtes en voiture, conduisez (prudent) ... .
c. Le manuel indique (clair) ... quoi faire en cas d'urgence.
d. Le troc de maisons est une formule (étonnant) ... populaire.
e. Les enfants jouent (joyeux) ... et (bruyant) ... .

À VOUS !

6. **Vous préparez une page web pour présenter votre logement en vue d'un échange. Faites une présentation aussi claire et détaillée que possible, ainsi qu'une description du quartier.**

MINUTES SON

a. Écoutez ce texte. Quels mots contiennent le son [ɛ] ?
b. Et comment s'écrit le son [ɛ] ?
Mes prochaines vacances ? Je vais loger dans une maison en Norvège. L'année dernière, j'étais dans un hôtel et pas de veine, il y avait des gens qui faisaient la fête le soir...

L'IMPARFAIT LES ADVERBES

Grammaire

> Formation de l'imparfait
Verbe conjugué à la 2e personne du pluriel du présent + -ais, -ais, -ait, -ions, -iez, -aient.

Infinitif →	Présent « vous » →	Imparfait
Boire	Vous buvez	Je buvais
Prendre	Vous prenez	Tu prenais
Venir	Vous venez	Il/elle/on venait
Être	Vous êtes	Nous étions
Avoir	Vous avez	Vous aviez
Aller	Vous allez	Ils/elles allaient

⚠ **Pour les verbes en -cer et -ger :**
• le « -c » devient « -ç » devant le « -a » : *commencer → je commençais*
• « -g » : on ajoute un « e » devant le « a » : *ranger → ils rangeaient*

> Formation de l'adverbe en -ment
• **Règle générale :** adjectif au féminin + -ment.
Lent→ lente→ lentement
Sérieux → sérieuse→ sérieusement

• **Pour les adjectifs terminés par une voyelle** (-i, -é, - u), on construit l'adverbe avec : adjectif au masculin + -ment.
Poli → poliment

• **Pour les adjectifs terminés par -ent et -ant,** on met deux "-m" :
Patient → patiemment
Courant → couramment

Communication

> Proposer à quelqu'un de sortir
• **Avoir envie de + infinitif**
Tu as envie d'aller en Islande l'année prochaine ?
• **Ça dit à qqn de + infinitif**
Ça te/vous dit d'aller aux Baléares cet été ?

> Répondre
- Oui, **je suis partant(e)**, j'ai toujours voulu y aller.
- Oui **ça me dit !**
- Non, **ça ne me dit rien**, il fait trop chaud.

⇒ *Voir Cahier d'Entraînement U 3*

Le tourisme équitable

REPÉRER

1. Observez les documents.

Associez chaque type de tourisme avec une description de vacances : tourisme vert, tourisme alternatif, tourisme solidaire.

- Je visite Marseille avec un « *greeter* ».
- Je pars aider à construire une école en Inde.
- Je pars en Islande dans un camping écologique.

**2. Document B. Où peut-on trouver un puits ?
Et où peut-on trouver un panneau solaire normalement ?**

COMPRENDRE

3. Écoutez le document A et répondez aux questions.

a. Où est partie Aurélie en vacances ?

b. Qu'est-ce qu'elle faisait ?

c. Est-elle contente de ses vacances ?

d. Qu'est-ce qui paraît le plus intéressant dans son expérience ?

e. Et vous, voudriez-vous faire une expérience similaire ? Pourquoi ?

4. Lisez le document B.

a. Quels objets et moyens de transport vous semblent typiques de l'écotourisme ? Lesquels sont utilisés par *Retour à la vie sauvage* ?

Une piscine – l'avion – la climatisation – un vélo – un camion – un puits – un 4x4 – un cheval – un jacuzzi – des panneaux solaires.

b. Quels sont les deux grands problèmes de la région du Kalahari ?

c. D'après vous, est-ce que *Retour à la vie sauvage* est une formule écologique ? Pourquoi ?

d. Proposez des solutions pour rendre la formule plus écologique.

Les charlatans* de l'écotourisme   B

Tourisme vert, authentique, responsable et solidaire : les offres fleurissent sur « la toile ». Mais avant de vous embarquer pour des éco-destinations, lisez attentivement les prospectus des tours opérateurs.

Retour à la vie sauvage propose pour la modique* somme de 500 € par jour un séjour de rêve dans un hôtel écologique de luxe au cœur du Kalahari, région désertique du Botswana (Afrique), pour observer les animaux.

Bizarrement, cet hôtel « écologique » est équipé de panneaux solaires pour l'électricité et la climatisation, un puits pour l'eau des douches et... de la piscine ; et un camion apporte quotidiennement l'eau potable pour les touristes.

La carte du restaurant propose des aliments locaux comme des steaks d'autruche mais ils proviennent... d'Australie et arrivent par avion. Alors, vraiment écologique *Retour à la vie sauvage* ?

On peut sérieusement avoir des doutes quand on sait que l'eau et la faim sont des problèmes majeurs pour les populations locales. Pourtant, le tour opérateur affirme qu'il est plus soucieux de l'environnement que toutes les autres agences qui font des safaris en 4x4 et qui détruisent l'environnement... Alors qui croire ?

*Charlatan : personne qui déforme la réalité, imposteur.
*Modique : modeste, modéré, faible.

Échanger

PRATIQUER

5. Remplissez les phrases suivantes en utilisant les comparatifs de supériorité (+), d'égalité (=), et d'infériorité (-).

a. Avec le tourisme traditionnel les chambres sont **(...)** confortables (...) avec le tourisme solidaire. **(+)**

b. Un séjour en hôtel club est (...) cher (...) un séjour équitable. **(=)**

c. Des vacances en village vacances sont (...) originales (...) un trek au Népal. **(-)**

d. Il y a (...) touristes en Espagne (...) en Finlande. **(+)**

e. Les Français comprennent (...) l'italien (...) le portugais. **(+)**

À VOUS !

6. Vous êtes un groupe d'amis. Vous souhaitez partir en vacances cet été, vous avez le choix entre 3 projets. Comparez-les et décidez quel voyage vous choisissez de faire ensemble.

→ *Nous choisissons le projet n°... parce que ce séjour est plus ... que le projet n°... .*

→ *Il y a plus de ... que ... .*

PROJET 1

Au cœur de l'Himalaya
Partez au Népal pour aider à la construction d'une clinique de campagne. Logez chez l'habitant, découvrez la culture népalaise en immersion. Vous contribuerez durablement à la vie de la communauté locale.

Prix total pour 3 semaines : 1 500 euros par personne.

PROJET 2

Croisière dans les Caraïbes
Vous cherchez la détente et le soleil ? Embarquez pour une croisière de rêve dans les eaux claires des Caraïbes. Mer turquoise, plages de sable blanc, végétation luxuriante, laissez-vous transporter par une vague de couleurs et de sensations. À bord, vous pourrez vous reposer avec des cours de yoga, des massages et de l'aquagym.

10 jours, 2 800 euros par personne.

PROJET 3

Volcans d'Islande
Découvrez autrement les paysages uniques de l'Islande. Ce superbe trek vous permettra de découvrir des sites naturels époustouflants (glaciers, geysers, sources chaudes, volcans, déserts de lave). Vous vivrez en union avec la nature sauvage, avec un petit groupe convivial. Lancez-vous dans l'aventure islandaise !

12 jours / 11 nuits : à partir de 2 400 euros par personne, frais de vol compris.

MINUTES SON

Prononciation de PLUS (ply / plyz / plys)

a. Qu'entendez-vous dans chaque phrase : ply / plyz ou plys ?

b. Quand faut-il prononcer ply / plyz et plys ?

LE COMPARATIF

Communication

> Mon voyage au Pérou était beaucoup plus intéressant que mon voyage en Grèce.

> Je voyage plus facilement seul qu'en voyage organisé.

> Il y a moins de monuments à voir à Versailles qu'à Paris.

Grammaire

> **Le comparatif**

· Plus / moins / aussi + ADJECTIF/ADVERBE que/qu' ...
Le tourisme de masse est plus polluant que le tourisme vert.

· Plus / moins / autant de + NOM que/qu' ...
De nos jours, il y a moins de trains de nuit qu'autrefois, c'est dommage !

⚠️ Devant une voyelle "que" devient "qu'".
Il y a plus de taxis à Londres qu'à Paris.

⚠️ Attention aux comparatifs irréguliers :
- Bon → meilleur(e)
- Bien → mieux
- Mauvais → pire
Je trouve la cuisine à l'huile meilleure que la cuisine au beurre.
Après 1 mois au Mexique, Théo parle mieux espagnol.

Vocabulaire

La maison	Le tourisme
une chambre	le tourisme vert, solidaire, alternatif, authentique
une salle de bain	l'écologie, l'écotourisme
une salle à manger	un puits
un salon	un panneau solaire
un jardin	être en immersion
une piscine	se loger, un logement
un immeuble	convivial
un appartement	local
l'ascenseur	
calme ≠ bruyant	
clair ≠ sombre	
rustique ≠ moderne	
confort, confortable	

 Voir Cahier d'Entraînement U 3

Action !

Tâche finale

Vous organisez un jeu de rôles à 3 : deux personnes (A et B) ont échangé leurs logements par le site www.cheztoicheztoit.fr.

La personne A n'est pas contente du tout de l'échange car la maison de B n'était pas conforme à l'annonce. La personne B est vexée et se justifie.
L'agent immobilier du site essaie de calmer la dispute.

chez
toi
chez
toit
.fr

Troquez
loin,
troquez
bien !

Appartement A

Bel appartement, coquet tout confort, 3 chambres, tout près du centre de Florence (Italie). Commerces à proximité. Un bijou !

Maison B

Jolie maison de campagne, avec terrasse et grand jardin, située dans la campagne (Sud-Ouest France). 3 chambres, 1 grande salle à manger, une décoration rustique typiquement locale. Une retraite paisible pour profiter de la magnifique nature environnante.

Activités : randonnées dans la montagne, vélo, dégustation gastronomique, visites des caves de Roquefort...

• Personne A
Cet été, vous avez échangé votre joli appartement italien (A) contre une maison en France (B), dans le Sud-Ouest.
L'échange s'est mal passé. La maison de rêve (B) que vous deviez occuper était en fait un cauchemar en mauvais état, bruyante, sale et pas d'eau chaude !
Quand vous êtes rentré chez vous, votre appartement (A) était en désordre, sale et sentait la fumée...

• Personne B
Vous tentez de vous justifier. Vous devez expliquer à la personne A que votre maison B est agréable, que les photos du site étaient représentatives, et que peut-être, c'est A qui est un peu trop difficile...

• Personne C
Vous êtes l'agent de www.cheztoicheztoit.fr qui tente de calmer la situation.
Vous essayez de trouver un compromis.

TACTIQUES

- Utilisez ce vocabulaire pour vous exprimer :
• Être déçu ≠ être satisfait de quelque chose.
• C'est affreux décevant, épouvantable, dégoûtant,
un cauchemar ≠ c'est génial, extraordinaire, agréable...
• C'est malhonnête...
- Du vocabulaire utile :
coquet = joli ; rustique = traditionnel et simple ; environnante = des environs.

Préparation au DELF

COMPRÉHENSION DE L'ORAL

1 **Écoutez le document et répondez aux questions (3 points).**

a. Ce séjour est réservé aux groupes : vrai ou faux ?

b. Le repas du premier soir est compris dans le séjour : vrai ou faux ?

c. Quelles sont les activités pratiquées pendant le séjour ?

COMPRÉHENSION DES ÉCRITS

2 **Lisez le document et répondez aux questions (5 points).**

De :	office_du_tourisme@sanary-sur-mer.fr
à :	lisa.robert@free.fr
Objet :	demande de réservation

Chère Madame,

Nous sommes au regret de vous informer que les hôtels 3 étoiles de notre ville sont complets pour la semaine du 01 au 07 août.

Nous avons des disponibilités dans cette catégorie à partir du 21 août. Pour la période demandée nous pouvons proposer une chambre double très calme, avec salle de bain dans un ancien château, vue sur parc située à 3 km de la plage, proche de tous commerces.

Nous avons également un studio équipé avec cuisine (photos jointes) et une vue sur le port qui correspond à votre budget (pas de garage, mais un parking public à proximité).

Merci de nous informer de la suite à donner.

Cordialement,
Olivier Leboeuf

a. Lisa Robert veut réserver une chambre à partir du : 1er août / 7 août / 21 août ?

b. Quel est le type d'hébergement que Lisa demande ?

c. Lisa part en vacances avec quel moyen de transport ?

d. Si Lisa loue le studio, elle est à côté du port : vrai ou faux ?

PRODUCTION ÉCRITE

3 **Vous voulez partir en Bolivie pour les vacances. L'association de tourisme solidaire *Pueblos encima* vous a envoyé le mail suivant. Vous écrivez et répondez aux questions (60 à 80 mots, 12 points).**

Bonjour,
Nous sommes toujours heureux d'accueillir un voyageur solidaire. À quelle date pensez-vous venir ?
Nous vous demandons de rester au minimum un mois pour participer aux activités de la communauté de Malpagado.

En échange de l'hébergement et des repas, nous vous proposons de participer 4 heures par jour à l'une des activités au choix : récolte du quinoa, construction du centre de santé de la communauté, restauration du sentier inca.

Au plaisir de vous accueillir,
Pablo Escondido

ET PLUS ...

DORMIR AILLEURS

Le canapé dans le salon, c'est l'hôtel des baroudeurs*. Des milliers de voyageurs l'ont adopté.

Récemment, une jeune femme partie faire un tour du monde à pied expliquait qu'elle aurait chaque soir deux solutions pour dormir : sa tente ou le réseau « *couchsurfing* ».

Couchsurfing.org, c'est le Facebook des voyageurs aventuriers. Il s'agit d'un vrai réseau social et d'un site de rencontres. De rencontres amicales et enrichissantes.

« *Couchsurfer* » ça veut dire réserver une place sur le canapé de quelqu'un que vous ne connaissez pas. Comment ça marche ? Vous vous inscrivez, vous remplissez votre profil et vous attendez. Vous pouvez loger ou être logé. Ou les deux, évidemment.

Ensuite, tout se fait par mail : si vous partez quelque part, vous faites une recherche et vous contactez un « *couchsurfeur* » qui réside dans la ville où vous vous apprêtez à séjourner. Il y en a partout, même dans les plus petites villes de France.

Le jour J, votre hébergeur peut se transformer en guide touristique, voire* en ami. Le logement est minimaliste*, mais vous avez très peu de chance d'être mal accueilli. « *Couchsurfer* » c'est un esprit. Il faut être ouvert, entreprenant, aventurier... Ce n'est pas juste une solution efficace pour se loger à peu de frais pendant les vacances.

Alors, ça vous tente ?

Source : www.couchsurfing.org.

* Baroudeur : aventurier.
* Voire : ou peut-être (terme ancien).
* Minimaliste : qui propose le minimum de choses.

> En quoi consiste le « *couchsurfing* » ?

> Selon vous, quels sont les avantages et inconvénients du « *couchsurfing* » ?

> D'après vous, quel est le profil type du « *couchsurfeur* » (âge, profession, caractère...) ?

> Voudriez-vous faire du « *couchsurfing* » ? Pourquoi ?

CARNET PRATIQUE

> **« *Greeters* » de Nantes :**
www.greeters-nantes.com

> **Voyager autrement :**
www.voyageons-autrement.com/greeters.html

> **Voyage équitable :**
www.echoway.org

> **« *Couchsurfing* » :**
www.couchsurfing.org

Trouver un emploi

Objectifs

Faire son CV en français
Participer à un entretien d'embauche
Écrire une lettre de motivation

Faire son CV

A

Amandine Maitre
14, rue Jacob 75006 Paris
06.00.22.22.22
ch.maitre@yahoo.fr
Née le 15 Mai 1980 à Montpellier
Célibataire

Expérience professionnelle

- Juillet 2008 - avril 2012 : **journaliste pour le magazine en ligne *Chronicart***, rubrique livres, Paris
- recherche de nouveaux talents littéraires
- critiques littéraires
- rencontres d'auteurs et interviews
- Mars 2004 - juin 2008 : **journaliste pour le quotidien *Aujourd'hui***, rubrique société/faits divers, Paris
- Juin-juillet 2002 : **chantier jeunesse international**, Géorgie
- Septembre 1999, 2000 et 2001 : **vendanges** de vignobles à Tain-L'Hermitage (07)
- Août 1997 et 1998 : **animatrice** d'une colonie de vacances, Albi (81)

Formation

- 2010-2011 : **master 2 professionnel en journalisme culturel**, Université Sorbonne Nouvelle, Paris (mention Bien)
- 2002-2003 : **master 1 de Lettres classiques**, Université Lyon II, Lyon (mention Bien)
- 1999-2002 : **licence de Lettres classiques**, Université Lyon 2, Lyon (mention Assez Bien)
- 1998-1999 : **baccalauréat ES**, Lycée Édouard Herriot, Lyon (mention Bien)
- 1996 : **BAFA** (brevet d'aptitude aux fonctions d'animateur), UFCV, Lyon

Autres compétences

- Informatique : maîtrise de **Word, PowerPoint, Excel, Access, Photoshop**
- Langues   : - **anglais** : niveau intermédiaire avancé (B2 du CECR)
              - **russe** : niveau intermédiaire (B1 du CECR)

Centres d'intérêts

- **Arts** : théâtre, cinéma, littérature
- **Sport** : yoga et natation
- Pratique régulière du **théâtre** dans une troupe d'amateurs

Astuces CV

- Votre CV doit être clair, facile à lire, attractif.

- Mettez une photo professionnelle, pas de mauvaise photo.

- Détaillez vos expériences importantes.

- Évitez les absences de date.

REPÉRER

1. Observez le document A et répondez aux questions.

a. Par 2, donnez 3 règles essentielles pour faire un bon CV.

b. D'après vous, est-ce que le CV d'Amandine est un bon CV ? Pourquoi ?

c. Par 2, trouvez 3 différences entre le format du CV d'Amandine et le CV type de votre pays.

COMPRENDRE

2. Regardez encore le document A.

a. Quel type de poste cherche Amandine?

b. Depuis combien d'années travaille Amandine ?

Découvrir

c. D'après son CV, quels sont ses domaines de spécialité ?

d. Quels ont été ses petits boulots ?

3. Écoutez le dialogue. Regardez aussi la vidéo !

a. D'après le conseiller, quels sont les trois problèmes dans le CV d'Amandine ?

b. Quelles sont les modifications qu'il suggère ?

c. Écoutez encore une fois.

- Quelle expérience professionnelle Amandine a-t-elle oublié de mentionner ?

- Que faisait Amandine au journal *Aujourd'hui* ?

- Êtes-vous d'accord avec les modifications de Pierre ? Avez-vous d'autres suggestions pour améliorer le CV d'Amandine ?

PRATIQUER

4. Complétez le texte avec les expressions temporelles :
il y a, pendant, depuis.

> #### Parcours...
> (...) 10 ans, après mon master, je suis parti faire un projet international en Bolivie. (...) deux mois, j'ai travaillé dans un orphelinat. Je devais rentrer en France juste après, mais finale-ment j'ai décidé de parcourir l'Amérique du Sud (...) six mois. Et là j'ai rencontré Pedro, un enseignant argentin qui m'a proposé de travailler dans son école. Je ne suis pas rentré en France, et je travaille dans son école (...) huit ans.

5. Discutez par 2 :

a. Depuis combien de temps étudiez-vous le français ?

b. Pendant combien de temps êtes-vous parti en vacances l'été dernier ?

c. Avez-vous terminé le lycée ? Si oui, il y a combien de temps ?

6. Par 2, raconter vos souvenirs à l'imparfait.

→ *Quand j'étais enfant, j'allais au cinéma une fois par semaine.*

- Quand j'étais adolescent(e), ...

- Quand j'étais étudiant(e), ...

À VOUS !

7. À la manière du document A, faites votre propre CV français en respectant les *Astuces CV* de la page 46.

MINUTES SON

a. Quel son entendez-vous : [t] ou [d] ?

b. Écoutez les paires de mots et dites si vous entendez t/t, d/d ou t/d.

c. Écoutez et répétez : Toto têtu s'entête. / Dédé dodu s'endette.

PARLER DE SON PASSÉ

Vocabulaire

> Une expérience professionnelle

> Le monde du travail

> Chercher du travail

> Un petit boulot = un petit emploi d'étudiant

> Être au chômage = ne pas avoir d'emploi

> Un chômeur, une chômeuse

> Un parcours professionnel = une carrière

> Un diplôme = une qualification universitaire ou autre (un diplôme de journalisme, un diplôme de cuisine...)

Communication

> Exprimer l'habitude

L'imparfait s'utilise pour exprimer une habitude dans le passé.
Quand j'étais enfant, je mangeais un pain au chocolat tous les matins.

Voici des expressions temporelles d'habitude qui s'utilisent avec l'imparfait : *tous les jours, chaque matin, une fois par semaine, régulièrement, souvent...*

> Exprimer la durée

· **Il y a + durée** (passé composé) : désigne un moment précis dans le passé, le point de départ d'une durée.
J'ai quitté New York il y a 10 ans.

· **Pendant + durée** : désigne une durée passée délimitée et détachée du moment présent.
J'ai vécu à Madrid pendant 3 ans, mais maintenant je vis à Londres.

· **Depuis + durée /date** : désigne le point de départ d'une action passée qui continue au moment où l'on parle.
Il travaille dans le journalisme depuis 1999. (= Il y travaille encore maintenant.)
Elle est au chômage depuis 6 mois. (= Son chômage a commencé il y a 6 mois et il continue au moment où je parle.)

⇨ *Voir Cahier d'entraînement U 4*

Au travail !

Le nouveau visage des espions français

Décidée à recruter 690 personnes en six ans, la DGSE (direction générale de la sécurité extérieure) prospecte désormais dans les grandes écoles d'ingénieurs et les universités pour dénicher ses nouvelles recrues : des scientifiques, des linguistes... et de plus en plus de femmes.

(...) Depuis le début de l'année, la DGSE a effectué 24 conférences dans des classes, examiné 400 dossiers de candidature, reçu en entretien 200 jeunes diplômés bac + 4 ou + 5. Quatre-vingts d'entre eux ont déjà été présélectionnés. Une trentaine d'élus subiront une batterie de tests psychologiques et un grand oral où leurs capacités de réaction seront éprouvées par des cas de figure inattendus et des questions déstabilisantes. « Les plus intuitifs, faisant preuve de bon sens et de séduction, d'une vive intelligence des situations et de souplesse intellectuelle, sortent vite du lot, remarque Laurent, chargé de la gestion des carrières. Dans notre métier de caméléon, il faut savoir désapprendre pour mieux réapprendre et abandonner ses illusions sans forcément les perdre. »

**"Le nouveau visage des espions français",
publié le 12/08/2011 sur lefigaro.fr,
© Christophe Cornevin / lefigaro.fr / 2011.**

REPÉRER

1. Observez le document A et répondez aux questions.

a. Par 2, donnez trois qualités essentielles pour être un bon espion.

b. D'après vous, quelles sont les professions les plus recherchées ? Pourquoi ?

c. Par 2, imaginez trois questions à poser à un candidat à la DGSE.

COMPRENDRE

2. Regardez encore le document A.

a. Quel type de candidat recherche la DGSE ?

b. Quelles qualités demande la DGSE ?

3. Écoutez l'entretien d'embauche de Thibaut à la DGSE.

a. Première écoute. Quel est le parcours du candidat ?

b. Deuxième écoute. À votre avis, qu'est-ce qui intéresse le plus les recruteurs ? Pourquoi ?

**4. Document B : voici 2 mails de candidature reçus par les recruteurs pour un poste à la DGSE.
À votre avis lequel a retenu l'attention des recruteurs. Pourquoi ?**

2.

Envoyer Discussion Joindre Adresses Polices Couleurs Enr. brouillon

Madame, Monsieur,

Passionnée depuis toujours par les films d'espionnage (j'ai vu tous les James Bond), je suis persuadée être la candidate idéale pour le poste que vous proposez. À l'aise aussi bien en robe de soirée qu'en tenue de camouflage, j'adore voyager et faire des rencontres. Je suis certaine que mon CV retiendra toute votre attention.
Dans l'attente d'une rencontre, veuillez agréer, Madame, Monsieur, mes cordiales salutations.

Anne-Lise Grazzi

B

1.

Envoyer Discussion Joindre Adresses Polices Couleurs Enr. brouillon

Objet : analyste réseau

Madame, Monsieur,

Vous trouverez ci-joint mon dossier de candidature pour le poste d'analyste réseau que vous proposez sur le site de la DGSE.
Je reste à votre disposition pour une prochaine rencontre.
Cordiales salutations.

Charlotte Saunier (06 23 46 12 57)

Exprimer

PRATIQUER

5. Par 2, dites quelles qualités sont requises pour faire les métiers suivants : architecte, acteur, professeur, journaliste, médecin, espion...

→ *Pour être* secrétaire, *il faut être / avoir / savoir... .*

6. Les personnes suivantes ont changé de carrière. Elles racontent. Imaginez la suite en utilisant le passé composé.

- Julia : *Je travaillais depuis dix ans dans une salle de spectacle comme comptable quand...*

- Jonathan : *Je faisais des études de médecine et je commençais ma dernière année quand...*

- Olivier : *J'étais avocat international et je voyageais dans le monde entier, quand...*

7. Conjuguez les verbes à l'imparfait ou au passé composé.

> Quand je (travailler) ... dans une compagnie aérienne j'(être) ... souvent en contact avec des personnes qui (partir) ... pour des projets humanitaires. En 2004, il y (avoir) ... le tsunami et j'(être) ... bouleversé. Après le tsunami, je (prendre) ... un congé et je (aller) ... en Thaïlande pour aider à la reconstruction d'un village de pêcheurs.

À VOUS !

8. Par 2, imaginez l'entretien d'embauche pour le poste ci-dessous.

La DGSE recrute un(e) espion(ne).

Mission :
De bonne culture générale, vous êtes réactif, intuitif et discret, vous aimez voyager, savez vous adapter à toutes les situations et avez le sens de l'initiative.
Contactez-nous au : 01.32.12.65.88.

MINUTES SON

a. Écoutez les mots et dites si vous entendez le son [œ] ou [ø].
b. Répétez ces phrases : Mon meilleur ami est jeune et amoureux. Leur sœur est chanteuse et talentueuse.

LE CHANGEMENT DE SITUATION

Grammaire

> L'imparfait s'utilise pour exprimer une situation, un contexte.

> Le passé composé décrit un événement ou une suite d'actions courtes.

Je **lisais** le journal (= situation, contexte) et **j'ai vu** (= événement) l'annonce pour le travail de mes rêves.

Je marchais dans la rue, tout à coup, **j'ai glissé**, je **suis tombé** et **je me suis cassé** la jambe.

Communication

> **Exprimer le changement de situation**

AVANT (situation passée) = imparfait	ÉVÉNEMENT = passé composé	MAINTENANT = présent
Avant, je travaillais comme serveur...	... puis un jour j'ai acheté un restaurant, ...	... maintenant je suis gérant de restaurant.
Avant, elle était pauvre, ...	... puis un jour elle a gagné au loto ...	... maintenant elle est millionnaire.
Avant, il travaillait très dur, ...	... puis il a pris un congé sabbatique ...	... maintenant il fait le tour du monde.

Vocabulaire

> Ambitieux (se), tenace, réactif (ve), autonome, travailleur (euse)

> Avoir le sens du contact / des relations humaines / des responsabilités / de l'initiative / de l'organisation

> Avoir l'esprit d'analyse, de synthèse, d'équipe

> Être autonome / disponible / compétent(e) / dynamique

> Savoir : s'adapter / travailler en équipe

> Des capacités = ce qu'on peut faire

> Des compétences = ce qu'on sait faire

> Un parcours professionnel = une carrière

⇨ *Voir Cahier d'entraînement* **U 4**

Mobilité internationale

ET POUR VOUS, QUEL ÉCHANGE INTERNATIONAL ?

Faire un échange international, c'est une opportunité extraordinaire, mais il faut bien choisir sa formule.

Pourquoi partir à l'étranger ?

Vous donnerez une **dimension internationale** à votre CV.
Vous apprendrez ou allez enrichir une **langue étrangère**.
Vous établirez un **réseau de contact international**.
Vous aurez plus de chance de faire une **carrière internationale** par la suite.

Les formules

Cursus universitaire à l'étranger (Erasmus, Erasmus Mundus, Socrates…)

▸ Étudiant : niveau **bac + 3 à doctorat**.
▸ Vous effectuerez un **cursus de 3 à 12 mois** dans une université européenne.
▸ Vos **résultats d'examen seront validés** dans votre université de départ.
▸ Vous recevrez une **bourse Erasmus**.

Contactez le service « échanges internationaux » de votre université.

Le volontariat international (VIE, VIA, VSI)

▸ Ouvert aux **jeunes diplômés de 18 à 28 ans**.
▸ Vous effectuerez une mission professionnelle en tant que volontaire international en **entreprise** (VIE), en **administration** (VIA) ou en **ONG** (VSI : volontaire de solidarité internationale).
▸ Votre stage durera **6 à 24 mois** pour un VIE/VIA et **1 à 6 ans** pour un **VSI**.
▸ Vous occuperez des postes **techniques, commerciaux** ou **scientifiques** (VIE), **administratifs** ou **culturels** au sein d'une ambassade, un consulat ou d'un centre culturel français (VIA).
▸ Vous serez **rémunéré(e)**.

Consultez le site officiel www.civiweb.com et postulez auprès des entreprises.

B

Détails de l'offre :

REPÉRER

1. Observez les documents et répondez aux questions.

a. Trouvez deux mots clés qui résument les points communs des documents A et B.
b. Connaissez-vous les organismes / programmes d'échanges cités ?

COMPRENDRE

2. Observez le document B.

a. Quel logo concerne : les jeunes diplômés / les adultes ?
b. D'après vous, grâce à Civiweb, peut-on trouver des stages professionnels ou des cours à l'étranger ?

3. Étudiez les programmes proposés dans le document A.

a. Par 2, faites une liste des similitudes et des différences entre les programmes d'échanges universitaires et le volontariat international.
b. Quels sont les avantages de chaque programme ?
c. D'après vous, quelles qualités sont indispensables pour participer à ces programmes ?
d. Avez-vous déjà participé à un échange international ? Où et quand ? Sinon, voudriez-vous y participer ?

Échanger

4. **Écoutez Léa parler de son expérience à l'étranger et relevez les informations suivantes :**

Le type de programme d'échange choisi	...
La destination de son échange	...
Une chose qu'elle a apprise pendant son expérience	...
La fonction de Léa	...
2 avantages de l'expérience en VIE	...
La prochaine destination de Léa	...

PRATIQUER

5. **Compréhension du futur**

a. Observez les formes verbales au futur, extraites du document A :
- Vous **passerez** vos examens...
- Vous **découvrirez** une nouvelle culture...
- Votre stage **durera** 6 à 24 mois...

b. À votre avis, comment se forme le futur ?

6. **Conjuguez les verbes au futur.**

L'année prochaine, Maxime et moi (partir) ... à Barcelone pour un échange Erasmus. Moi, je (être) ... en section « commerce international », et Maxime (suivre) ... un cursus de sciences politiques. Beaucoup de nos amis (partir) ... aussi en programme Erasmus, à Londres, Oslo et Budapest.
Nous (avoir) ... donc l'occasion de voyager dans toute l'Europe : j'(aller) ... à Budapest pour Noël, je (faire) ... un saut à Oslo à Pâques. Les examens ? Ah, oui, je (trouver) ... aussi le temps de les passer !

À VOUS !

7. **Votre entreprise recrute un volontaire international.
Écrivez une annonce attractive pour attirer de jeunes diplômés compétents et motivés.**

Votre annonce doit comprendre : le titre du poste, le lieu, la durée du contrat, un descriptif du poste, le profil de candidat souhaité, les atouts du poste, la rémunération.

MINUTES SON

Écoutez et observez les phrases : identifiez les « e » qui ne sont pas prononcés.
- Sa petite amie aimerait quitter la grande avenue bruyante.
- Je le rencontre parfois sur le boulevard.
- Ne t'inquiète pas, je t'appellerai.

Communication

> **Décrire un poste et un profil de candidat**

- *Vous pourrez effectuer un stage.*
- *Vous aurez l'occasion de travailler en équipe.*
- *Le poste vous permettra d'acquérir une expérience de terrain.*

- Le candidat idéal doit avoir : le sens de l'initiative / des responsabilités / du contact / des relations humaines...
- Il doit : être disposé à voyager / savoir être réactif / connaître les logiciels Microsoft Office...

> **Le système éducatif français**

Niveau	Diplôme
Collège (11-15 ans)	Le brevet des collèges
Lycée (15-18 ans)	Le baccalauréat
Université Bac + 3	la licence
Université Bac + 4	le master 1
Université Bac + 5	le master 2
Université Bac + 7	la thèse / le doctorat

Grammaire

> **Le futur**
Construction du futur : infinitif du verbe + -ai, -as, -a, -ons, -ez, -ont.
*Je travailler**ai***
*Tu lir**as***
*Il/elle/on prendr**a***
*Nous partir**ons***
*Vous dir**ez***
*Ils/elles rester**ont***

⚠ **Il y a des exceptions :**
- Aller : j'**ir**ai
- Faire : je **fer**ai
- Être : je **ser**ai
- Venir : je **viendr**ai
- Vouloir : il **voudr**a
- Falloir : il **faudr**a *(Il faudra remplir un papier.)*
- Voir : je **verr**ai

⟹ *Voir Cahier d'entraînement* U 4

Action ! — Tâche finale

Lors d'un forum des métiers, vous participez à un entretien avec un recruteur. En classe, jouez la scène : vous incarnez soit le candidat, soit le recruteur.

a. Définissez ensemble quel est le poste à pourvoir.
b. Divisez la classe en deux groupes :

- Groupe 1 : le candidat
Vous vous présentez pour l'entretien : une expérience significative pour le poste, 3 qualités, 3 compétences que vous pourrez apporter au poste.

- Groupe 2 : le recruteur
Préparez un descriptif du poste : les responsabilités, la rémunération, 3 compétences et/ou qualités demandées et 3 questions clés à poser au candidat.

c. Rencontrez-vous pour un entretien recruteur-candidat.

TACTIQUES

- Utilisez un maximum de vocabulaire vu dans l'unité. Réutiliser le nouveau lexique en contexte permet de le mémoriser durablement.

- N'ayez pas peur de faire des erreurs, l'essentiel dans cette tâche est de communiquer. C'est en communiquant que l'on apprend.

Préparation au DELF

COMPRÉHENSION DES ÉCRITS

1 **Lisez cette lettre de motivation puis répondez aux questions (8 points).**

a. Pour quel poste est-ce que Gaëlle pose sa candidature ?

b. Elle a commencé à filmer :
- pour un projet universitaire ;
- parce qu'elle voulait devenir journaliste ;
- parce qu'elle était fascinée par le flamenco.

c. Après son expérience Erasmus, Gaëlle... :
- a continué ses études et a arrêté de filmer ;
- a continué ses études et fait des documentaires ;
- a commencé des études de journalisme.

c. Maintenant quel est l'objectif principal de Gaëlle ?

Gaëlle Meunier   Toulouse, le...
34, rue des Écoles
31000 Toulouse
Tél : 06.21.64.98.07
gaelle.meunier@voila.fr

Objet : candidature au poste de reporter documentaire, à la chaîne télévisée *Voyages et découvertes*, Montréal, Canada - Volontariat international en entreprise (VIE)

Madame,

C'est un voyage qui a tout déclenché : partie comme étudiante Erasmus en Espagne, j'ai assisté un jour à des concours de flamenco.
Afin de témoigner de cette expérience artistique extraordinaire, j'ai sorti ma caméra numérique et je me suis mise à interviewer et filmer.
Le résultat ? De retour en France, j'ai fait le montage de mon reportage, et je l'ai présenté à la fondation Gustave Humbert pour le film documentaire. J'ai obtenu le premier prix.

Cette récompense m'a encouragée à poursuivre dans le journalisme et deux autres reportages ont suivi. Parallèlement, j'ai continué mes études universitaires et je viens de terminer un Master 2 d'études hispaniques.

Je souhaite poursuivre ma carrière journalistique au sein de votre chaîne, dont l'ouverture multiculturelle et humaniste correspond parfaitement à mon éthique de reporter.

Je souhaiterais vivement vous rencontrer pour vous présenter mes reportages et parler d'une future collaboration en VIE. J'aimerais aussi vous proposer deux projets documentaires.

Je vous prie d'agréer, Madame, l'expression de mes meilleures salutations.

Gaëlle Meunier

PRODUCTION ÉCRITE

2 **Vous écrivez une lettre de motivation pour le poste suivant. Décrivez votre parcours, vos compétences et qualités, et ce que vous pouvez apporter au poste (150 mots) (12 points).**

AMBASSADE DE FRANCE AU JAPON - TOKYO
(service de communication et d'information)

PROFIL
Titulaire d'un diplôme d'études politiques, de journalisme ou de communication (minimum bac + 4), vous êtes adaptable et réactif et capable de travailler dans l'urgence et en équipe. Vous avez le sens de l'organisation, des relations publiques et humaines, et vous maîtrisez parfaitement le japonais (minimum B2). Vous avez des qualités rédactionnelles et d'excellentes connaissances informatiques (Microsoft Office et logiciels de développement de sites).

MISSIONS
- Réalisation d'une revue quotidienne de la presse japonaise
- Rédaction de télégrammes et de communiqués de presse
- Mise en œuvre de la stratégie de communication sur les réseaux sociaux (Facebook, Twitter, blog…)

RÉMUNÉRATION
3 280 € / mois

Envoyez CV et lettre de motivation en français à : tokyo2341@ambafrance.com.

A

Tenter sa chance à l'étranger

Ingénieur, Hugo Durand n'a pas hésité à quitter son emploi en CDI* pour partir à l'aventure au Québec. Son audace lui a donné raison : cinq ans plus tard, il occupe un poste qui le passionne.

Pourquoi avez-vous quitté la France ?
Lorsque j'étais étudiant, je suis parti en Erasmus en Suède pendant une année. Donc, peu de temps après la fin de mes études, j'ai souhaité revivre l'expérience de l'expatriation. Je n'avais pas réellement d'objectif fixe, si ce n'est découvrir un nouveau pays. Étant en début de carrière, les risques étaient petits, d'autant que mon poste en France ne répondait pas à mes attentes. Au pire je rentrais au bout d'un an, au mieux je m'installais pour plus longtemps...

Quel a été votre parcours au Québec ?
Passionné d'aéronautique, j'ai tout de suite postulé pour un poste. Mais la période n'était pas propice aux embauches lors de mon arrivée au Québec... J'ai donc élargi mes recherches et décroché mon premier poste au bout de trois semaines dans le secteur de l'énergie, grâce au réseau que j'avais commencé à tisser à distance avant de partir.

Au final, avez-vous pris la bonne décision en vous expatriant* ?
Sans aucun doute ! La vie au Québec a répondu à toutes mes attentes et professionnellement, je pense que je n'aurais pas pu occuper le poste que j'occupe aujourd'hui si j'étais resté en France. Je devrais d'ailleurs devenir citoyen canadien d'ici un an. Bref, je ne suis pas prêt de repartir...

* CDI : Contrat à Durée Inderminée.
* S'expatrier : partir à l'étranger.

> Quelles étaient les motivations d'Hugo pour partir au Québec ?

> Est-il satisfait de son expérience au Québec ?

> Et vous, avez-vous pensé à vous expatrier ? Où ? Qu'est-ce qui vous attire et qu'est-ce qui vous retient ?

B

> D'après vous, quels sont les principaux obstacles que l'on rencontre quand on s'installe à l'étranger ?

> Comment peut-on préparer son installation dans un pays étranger ?

CARNET PRATIQUE

> **S'installer en France**
Comment s'installer en France :
www.france.fr/vivre/sinstaller-en-france

> **Comment monter son entreprise en France :**
www.journaldunet.com

> **Les Français à l'étranger :**
Site officiel pour l'expatriation des Français :
www.pole-emploi-international.fr

> **Vivre à l'étranger (pour expatriés français) :**
http://vivrealetranger.studyrama.com

Nature et environnement

Objectifs
Parler des enjeux écologiques
Faire des hypothèses
Débattre sur la pollution

Développement durable
jeter trier
recycler biodégradable DÉCHET
écologie
ÉNERGIE RENOUVELABLE
responsable

La cité écolo

LA «VILLE EN TRANSITION»

Demain, il n'y aura plus d'énergies fossiles*, nous n'aurons plus de pétrole, nous ne pourrons plus utiliser de gaz. Les scientifiques n'ont pas encore trouvé l'énergie miracle qui sauvera la planète, alors comment ferons-nous, nous pauvres urbains ? Il va falloir nous adapter, et une des solutions de développement durable et responsable arrive par les écoquartiers qui commencent à voir le jour à Strasbourg, Nantes ou en banlieue parisienne.
On y trouve, par exemple, des jardins familiaux à proximité de son immeuble avec des potagers où on cultive une partie de ses légumes et où on élève des poules, des moutons et même des abeilles ! Consommer localement en installant la campagne à la ville, en quelque sorte !

Énergie fossile : énergie que l'on produit à partir de roches issues de la fossilisation des êtres vivants (pétrole, gaz naturel). Elles sont présentes en quantités limitées et non renouvelables.

Source : www.eco-echos.com.

A

REPÉRER

1. Observez les documents et répondez aux questions.

a. Ville, habitat et écologie : quels sont les idées que vous associez spontanément à ces mots ?

b. D'après vous, qu'est-ce qui est nouveau dans la « ville en transition » ?

c. Qu'est-ce qui est particulier dans un écoquartier ?

COMPRENDRE

2. Lisez le document A.

a. Que comprenez-vous de la définition « énergie fossile » ?

b. Pourquoi faut-il remplacer les énergies fossiles ?

c. Trouvez des exemples d'énergies renouvelables, capables de remplacer les énergies fossiles.

d. Comment la « ville en transition » peut-elle produire une partie de son alimentation ?

3. Regardez le document B et répondez aux questions suivantes.

a. Qu'est-ce qui est écologique dans un écoquartier ?

b. À votre avis, que peut-on recycler ?

c. Donnez des exemples concrets pour les 5 piliers de l'écoquartier.

4. Écoutez attentivement la discussion entre Damien et Benjamin. Regardez aussi la vidéo !

a. Où habite Damien ? Quels sont les avantages de son logement ? Et quels sont les contraintes ?

b. Écoutez encore une fois :

- Qu'est-ce que les habitants d'un logement participatif ont en commun ?

- Que fait un habitant d'un logement participatif ?

- Qu'est-ce qui a changé dans la vie de Damien depuis qu'il a déménagé ?

Découvrir ⟵

B ## Les 5 piliers d'un écoquartier

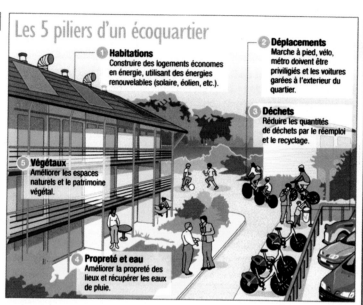

1 Habitations
Construire des logements économes en énergie, utilisant des énergies renouvelables (solaire, éolien, etc.).

2 Déplacements
Marche à pied, vélo, métro doivent être priviligiés et les voitures garées à l'exterieur du quartier.

3 Déchets
Réduire les quantités de déchets par le réemploi et le recyclage.

5 Végétaux
Améliorer les espaces naturels et le patrimoine végétal.

4 Propreté et eau
Améliorer la propreté des lieux et récupérer les eaux de pluie.

PRATIQUER

5. Complétez le texte avec les mots suivants. Ils peuvent être utilisés plusieurs fois.

Couche d'ozone – écoquartier – trou – empreinte carbone – gaz à effet de serre.

Sauvons la planète !

Dans un (...), on fait attention à l'environnement. On observe l'(...) : elle mesure le volume de CO_2 émis à cause des actions des hommes. Le calcul de l'(...) permet d'évaluer les solutions possibles pour diminuer les émissions de (...) . Et des émissions de (...) trop fortes détruisent la (...) . Au-dessus de l'atmosphère, il y a la couche d'ozone. Elle nous protège des mauvais rayons du soleil. Et la pollution aggrave le (...) de la couche d'ozone.

À VOUS !

6. Par 2, préparez un projet d'habitat participatif.

Vous présentez ce projet en expliquant ce qu'il a de différent dans les domaines proposés (voir tableau). Puis donnez un nom à votre projet.

Énergie	Aspect humain et relations sociales	Relation avec la nature	Recyclage
...	...	...	...

MINUTES SON

a. Écoutez les mots et dites si vous entendez le son [k] ou [g].
b. Écoutez les paires de mots et dites si vous entendez k/k, g/g ou k/g.
c. Écoutez et répétez : Écoutez l'écho des gouttes qui claquent sur le carreau glacé.

PARLER D'ÉCOLOGIE

Vocabulaire

> Les énergies

Les énergies fossiles	Les énergies renouvelables
- Le pétrole - Le gaz naturel - Le charbon	- L'énergie solaire (soleil) - L'énergie éolienne (vent) - L'énergie hydraulique (eau) - Le bois comme combustible

· Une énergie fossile est une énergie issue d'êtres vivants fossilisés. Elle existe en quantités limitées et non renouvelables.

· Une énergie renouvelable est une énergie fournie par le soleil, le vent, la chaleur de la terre, l'eau, les marées ou encore la croissance des végétaux. Les énergies renouvelables ne produisent pas (ou peu) de déchets.

> Des projets urbains écologiques

Une ville en transition	- Une ville qui utilise de nouvelles énergies - Une ville qui limite la pollution - Des jardins familiaux - Une production alimentaire locale : l'élevage d'animaux, des ruches d'abeilles, un potager...
Un écoquartier	- Un quartier économe en énergie - Préserver le patrimoine végétal - La propreté dans les rues - Récupérer l'eau de pluie - Marcher ou prendre le vélo et non la voiture - Réduire les déchets : trier
Un logement participatif	- Un logement dans une résidence avec des services en commun : laverie, jardinage, travaux de bricolage... - Manger bio : sans pesticide, sans produit chimique, avec des fruits et légumes du potager

⟹ *Voir Cahier d'entraînement U 5*

L'écologie au quotidien

A **LE MATCH ÉCOLO !**

 Lunettes OU lentilles ?

Une année de lentilles jetables quotidiennes représente plus de 9 grammes de plastique contre 35 grammes pour une paire de lunettes. On change de lunettes tous les deux ans, cela fait donc près de quatre ans de lentilles. Mais il faut ajouter les produits d'entretien, les étuis en plastique des lentilles et rappelons qu'un porteur de lentilles a aussi une paire de lunettes... Donc la paire de lunette remporte le match haut la main !

 Livre papier OU livre numérique ?

Avec le livre numérique, pas de papier ni d'encre et jusqu'à 200 ouvrages chargés. Idéal ? Non. Il est composé de plastique non recyclé, de matériaux chimiques et d'une batterie au lithium qu'il faut recharger... Et si un livre se conserve des dizaines d'années, la tablette numérique dure en moyenne dix ans.

Séchoir à main électronique OU serviettes en papier ?

Un sèche-main à air pulsé est plus écologique que d'user deux serviettes en papier, à condition de ne pas l'utiliser plus de 30 secondes. Reste à calculer combien de temps chacun laisse ses mains sous le sèche-main ou le nombre de serviettes que l'on utilise...

 Piles jetables OU piles rechargeables ?

Les piles jetables sont des déchets très polluants à cause des métaux lourds. Elles utilisent 40 à 140 fois plus d'énergie à l'usage que pendant leur production. Il vaut mieux donc choisir des piles rechargeables, réutilisables 250 fois.

REPÉRER

1. Observez les documents et discutez par 2.

a. À votre avis, qu'est ce qui est le plus écologique :
les lunettes ou les lentilles ? Les livres en papier ou les livres électroniques ? Le sèche-main ou les serviettes en papier ? Les piles jetables ou rechargeables ?

b. Trouvez l'intrus dans chaque liste :
- Jeter / récupérer / trier / recycler.
- Rechargeable / réutilisable / recyclable / consommable.
- Plastique / carton / déchet / métal.

B

avec les points de collecte en pied d'immeubles

LE TRI, c'est 3 fois MIEUX !

plus facile
plus propre
plus agréable

COMPRENDRE

2. Lisez le document A.

a. Qui consomme le plus de plastique : le porteur de lunettes ou de lentilles ?
b. Qui est le plus durable : le livre papier ou le livre électronique ?
c. Qui est le plus économique : le sèche-main ou la serviette en papier ?

3. Observez et écoutez le document B. Puis répondez aux questions.

a. Triez les objets suivants dans la bonne poubelle.
Une bouteille d'eau – une canette – un pot de moutarde – des piles – des ampoules – une boîte de maïs – une paire de lunettes.

Exprimer

b. À votre avis, que veut dire Léa ?

- *Trier c'est plus...* : rapide / écologique / facile.
- *Trier c'est moins...* : polluant / fatigant / évident.

c. Et vous, est-ce que vous triez vos déchets ? Comment ?

4. Observez ces phrases :

→ *Si on ne **trie pas**, on ne **pourra** pas recycler.*

W *Si tu **jettes** tes lunettes, tu ne **verras** plus rien.*

a. Quelle est l'hypothèse dans chaque phrase ?
b. Quelle est la conséquence dans chaque phrase ?
c. Quels sont les temps utilisés ?

PRATIQUER

5. Par 2, faites des hypothèses, sur le « Match écolo » (doc. A).

→ - *Si tu utilises un livre électronique, dans dix ans tu n'auras plus rien.*
- *Oui, mais si tu lis des livres en papier, dans dix ans, il n'y aura plus d'arbres.*

6. Faites des hypothèses sur le futur.

- Si on prend sa voiture tout le temps, dans vingt ans ... .
- Si on continue à gaspiller, alors ... .
- Si on ne fait pas attention à sa consommation, ...
- Si on chauffe trop les appartements, ...

7. Le plus, le moins, le mieux !

Répondez aux questions suivantes en vous justifiant. Puis comparez vos réponses avec votre voisin.

a. Chez vous, quel est le produit le plus polluant ?
b. Quel est le geste anti-écologique le moins pardonnable ?
c. Quel est le meilleur moyen de transport ?

À VOUS !

8. Vous voulez mettre en place le recyclage du papier dans votre entreprise. Préparez une affiche publicitaire qui explique pourquoi c'est mieux.

MINUTES SON

Entendez-vous [ɔ] ou [œ] ? Trouvez le mot qui est prononcé.
Puis répétez ces mots.

- corps / cœur   - bord / beurre   - sol / seul
- volent / veulent   - bof / bœuf

FAIRE DES HYPOTHÈSES

Grammaire

> Formation du superlatif

Le, la, les plus/moins + adjectif ou adverbe.

Le plus dangereux pour l'environnement...
La moins efficace contre la pollution...
Les actions les plus utilisées pour recycler...
Le plus souvent possible...

⚠ Exceptions :

- Bon → le meilleur
- Bien → le mieux
- Mauvais → le pire

> Exprimer une hypothèse

· Si + sujet + présent de l'indicatif ..., sujet + présent de l'indicatif.

Si tu veux, tu peux rester ici.

· Si + sujet + présent de l'indicatif ..., sujet + futur simple.

Si vous venez, nous irons au cinéma.

Si on ne fait pas attention, on le paiera demain.

· Si + sujet + présent de l'indicatif ..., sujet + présent de l'impératif.

Si vous avez faim, servez-vous !

Communication

> Savoir trier !

 = On jette le verre dans la poubelle blanche.

 = On jette le plastique et le papier dans la poubelle jaune.

 = On jette les déchets alimentaires dans la poubelle verte.

 = On jette les piles et les ampoules dans des poubelles spéciales.

⇨ *Voir Cahier d'entraînement U 5*

l'ennemi du bien   Le mieux est l'ennemi du bien   Le mieux est l'ennemi

Voitures et piétons en ville

A

PARK(ing) DAY à Montréal

PARK(ing) DAY est un événement mondial ouvert à tous, durant lequel citoyens, artistes et activistes collaborent pour transformer temporairement des places de parking payantes en espaces végétalisés* et conviviaux*. Les espaces bétonnés* deviennent des lieux d'initiatives engagées, originales et créatives. Par le biais de ces parenthèses poétiques et ludiques, **PARK(ing) DAY** est une réfléxion globale sur l'espace urbain, sur la place qui y est faite à la nature et sur la qualité de vie en centre-ville.

PARK(ing) DAY, en révélant temporairement les possibilités offertes par de tels espaces, aide à changer la façon dont les rues sont perçues et utilisées, générant* des effets plus durables. **PARK(ing) DAY** encourage ainsi les citoyens à se réapproprier* l'espace public, par la promotion de la créativité, de l'engagement critique, des interactions sociales inédites, de la générosité et du jeu : autant d'éléments qui participent à la construction d'une ville durable*.

Source : www.parkingday.fr, 2011.

* Végétalisé : composé de végétaux.   * Bétonné : recouvert de béton.   * Se réapproprier : reprendre possession.
* Convivial : chaleureux, accueillant.   * Générant : qui crée.   * Durable : qui dure, qui reste dans le temps.

REPÉRER

1. Observez les documents.

a. D'après vous, que peut-on faire sur une place de parking (à part garer sa voiture) ?

b. Personnellement, trouvez-vous que votre ville laisse trop de place aux voitures ou aux piétons ?

COMPRENDRE

2. Lisez le document A et écoutez le document B.

 38

a. Il y a des erreurs dans cet article : trouvez-les !

38 B

PARK(ing) DAY
ce week-end

Aujourd'hui a lieu une manifestation typiquement française : le PARK(ing) DAY.
Le but de cette manifestation est de créer de nouvelles places de parking pour les voitures en ville. Entièrement gratuite pour les automobilistes, les participants s'installent sur des places de parking pour vendre des journaux, des tee-shirts et autres souvenirs.
Leur slogan : « transformons nos parcs en parking, nous roulerons mieux et plus vite ! »

Créé à San Francisco en 2005, PARK(ing) DAY existe aujourd'hui dans 140 villes du monde !

b. Est-ce que les voitures dans votre ville sont un problème ? Discutez par 2.

France : 367 vélos pour 1000 habitants, Pays-Bas : 1010 vélos pour 1000 ha

Échanger

3. À votre tour, imaginez une action pour sensibiliser la population à un problème qui touche votre ville.

Type d'action	Objectif	Description
…	…	…

PRATIQUER

4. Pour ou contre la voiture ?

Par 2, discutez des avantages de la voiture, du vélo et de la marche à pied. Vous pouvez vous aider du tableau de chiffres suivant.

Comparez les différents modes de transport : vitesse, volume de transport, coût, pollution, etc.

___Quelques chiffres...___

- **Il faut** 1/4 d'heure pour faire **1 km** à pied, et, en ville, 1/4 des trajets en voiture font moins d'1 km.
- **30 minutes** de marche rapide par jour améliorent **votre santé**.
- Il faut **1/4 d'heure** pour faire **3 km à vélo** et **un trajet en voiture sur deux fait moins de 3km.**
- **10 km de vélo** tous les jours **évitent le rejet**, par l'usage d'une voiture, de **700 kg de CO_2 par an.**
- 1 place de stationnement voiture, c'est **10** places de stationnement vélo.
- Jusqu'à 5 km, **le vélo est plus rapide que la voiture** : un cycliste roule en moyenne à 15 km/h en ville contre 14 km/h pour une voiture !
- **1 bus** peut transporter en passagers l'équivalent de **40 à 50 voitures.**
- Pour un même trajet, on consomme en bus **2 fois moins d'énergie** et on émet **2 fois moins de CO_2** qu'en voiture.
- Une **voiture coûte** à l'année, en moyenne, **20 fois plus qu'un abonnement moyen de bus.**

Source : ADEME, guide pratique "Se déplacer malin", 2011.

À VOUS !

5. Vous souhaitez organiser dans votre ville une journée sans voiture. Par 2, vous préparez une affiche pour sensibiliser les habitants à l'environnement.

Vous expliquez pourquoi vous faites cette opération et comment elle va se dérouler.

MINUTES SON

L'intonation : question ou critique ?

Écoutez les phrases et dites s'il s'agit d'une question neutre ou d'une critique.

LA POLLUTION EN VILLE

Communication

> **Discuter de la pollution en ville**

- Je préfère le vélo ou la marche à pied à la voiture.

- Citoyens, artistes et activistes collaborent pour lutter contre la pollution.

- Il faut changer la façon dont les rues sont perçues, et révéler les possibilités offertes par les espaces de la ville.

- On participe à la construction d'une ville durable.

- Il faut marcher pour améliorer sa santé.

- Il faut apprendre à consommer moins d'énergie et à émettre moins de CO_2...

> **Exprimer l'équivalence**

- C'est équivalent à / c'est identique à...

- C'est pareil (que)...

- C'est la même chose (que)...

- C'est comme...

Grammaire

> **Exprimer l'obligation**

Pour exprimer l'obligation, on peut utiliser les structures suivantes :

- Il faut + infinitif :
Il faut marcher en ville.

- On doit + infinitif :
On doit économiser les énergies fossiles.

⟹ *Voir Cahier d'entraînement U 5*

France : 367 vélos pour 1000 habitants, Pays-Bas : 1010 vélos pour 1000

Tâche finale

Dans le cadre d'un comité de quartier « Ma ville, ma solution », vous proposez un projet pour votre ville.

MA VILLE, MA SOLUTION

Ma ville du futur permettra plus d'échanges entre les habitants afin de les rapprocher.

Ma ville du futur sera écologique.

a. Par groupe de 3, vous présentez un projet qui pourra améliorer la vie quotidienne des habitants du quartier et aussi faciliter les relations de bon voisinage. Vous présentez l'habitat, l'environnement, les transports...

b. Chaque groupe présente son projet. Puis toute la classe détermine quel projet semble le plus intéressant et pourquoi.

TACTIQUES

- Pour trouver des pistes d'amélioration, pensez au trajet pour aller au travail ou ailleurs. Est-ce qu'il y a des choses gênantes ? Dans votre environnement, qu'est-ce qui vous dérange ? Où ? À Quel moment ? Pourquoi ?

- Choisissez 1 ou 2 problèmes. Et cherchez des solutions. Chacun fait une proposition. N'ayez pas peur d'inventer des solutions irréalistes. Choisissez la meilleure et donnez des détails.

Préparation au DELF

COMPRÉHENSION DES ÉCRITS

1 **Lisez le texte puis répondez aux questions (12 points).**

Visite des petits hommes verts ou météorite ?

D'après plusieurs témoins, un étrange phénomène lumineux suivi d'un grand bruit s'est produit dans la nuit de lundi à mardi à 3 h 35 du matin dans la région de Toulouse.
Mais quelle est donc cette lumière dans le ciel ? Un ovni (objet volant non identifié) ?
Une météorite ? Un phénomène aérospatial non identifié (PAN) ?
« Je roulais vers l'ouest, sur l'autoroute, lorsqu'un éclair de plusieurs secondes a illuminé le secteur. On y voyait comme en plein jour. Puis j'ai vu une boule de feu qui venait vers moi au-dessus de moi, doucement et sans bruit avec des morceaux qui se détachaient derrière » témoigne un chauffeur routier.
Un agent de sécurité de l'aéroport de Blagnac a vu : « dans le ciel très sombre un gros objet vert avec une lumière derrière, silencieux, pendant environ trois secondes. À peu près 30 secondes plus tard, il y a eu une détonation, comme si quelque chose s'écrasait au sol ».
Un campeur hollandais a lui vu « une boule blanche très lumineuse qui a explosé en quatre ou cinq morceaux rouges et jaunes ». Les autorités enquêtent, mais l'hypothèse la plus probable est celle d'une météorite.

a. Ce texte est :
- un article de journal   - un extrait d'un roman   - un mail.

b. À coté de Toulouse, il y a eu :
 - un accident à l'aéroport   - une lumière mystérieuse   - une navette spatiale.

c. Vrai ou faux ? Justifiez votre réponse en citant une phrase ou une expression du texte.

	Vrai	Faux
Une seule personne a vu la lumière dans le ciel.		
On ne sait pas exactement quand ça c'est passé.		
C'était un phénomène silencieux.		
Un conducteur de camion raconte le phénomène.		
L'objet était lent.		
C'est sûrement une météorite.		

PRODUCTION ÉCRITE

2 **Vous avez reçu cet e-mail et le projet vous intéresse. Vous écrivez donc une réponse positive en donnant les renseignements demandés (60 à 80 mots) (8 points).**

Envoyer   Discussion   Joindre   Adresses   Polices   Couleurs   Enr. brouillon

Chers voisins,

La copropriété vient d'acquérir un terrain situé au 6 rue des Amandiers. Nous avons décidé d'y créer un jardin familial. Si vous êtes intéressés pour y participer, veuillez répondre en indiquant :
- la composition de votre famille ;
- les fruits, légumes et herbes que vous aimeriez cultiver ;
- les jours et heures où vous êtes disponibles pour entretenir le jardin.

Nous organisons une réunion d'information le 3 février à 20h30.
Merci de préciser si vous pourrez être présents.
Cordialement,

Coralie Lemeur
Présidente de l'association des résidents des Amandiers

ET PLUS ...

1. Cocktail campagnard

Source : *Le retour à la terre*, Tome 1 La vraie vie, Jean-Yves Ferri & Manu Larcenet, Poisson Pilote, Dargaud 2010.

2. Les Fatals Picards : *Le Retour à la terre*

Minou fais tes valises et les miennes aussi,
Nous quittons l'île St Louis pour le paradis.
J'ai trouvé la maison dont nous rêvions tant,
Pour trois fois rien à crédit sur deux ans.
C'est au cœur du Larzac au bord d'une rivière,
Dans un joli lieu-dit appelé Le Désert.

Un manoir du XVe dans un parc de mille hectares,
Y aura juste quelques travaux à prévoir.
Pour l'arrivée d'eau le vieux puits fera l'affaire,
Pour l'électricité vive les panneaux solaires.
S'il y a des nuages, c'est toi qui pédale,
S'il fait nuit plus d'une heure, c'est toi qui pédale.

Le premier spot wifi est à 25 km,
Le premier Monop' est à 35 km,
Le premier iPhone est à 120 km,
La dernière poste a fermé.

Elle est pas belle la vie,
Pour le dernier des hippies ?
La main dans la main
Avec le dernier lapin.
Elle est pas belle la vie,
Pour le dernier des hippies ?
La main dans la main
Avec le dernier pingouin.

(Suite pages 136-137)

> Et vous, quitteriez-vous votre ville pour aller vivre à la campagne ?

> Listez les avantages et les inconvénients de vivre en ville.

CARNET PRATIQUE

> **PARK(ing) DAY :** www.parkingday.fr
événement mondial présent dans 140 villes, dont Paris.
Aller aussi sur : www.carfree.fr

> **ADEME (agence de l'environnement et de la maîtrise de l'énergie) :** www.ademe.fr
L'ADEME participe à création de politiques publiques pour l'environnement, l'énergie et le développement durable.

> **ECOLORAMA :** www.ecolorama.fr
1er réseau français d'initiative écologique.

« Le Retour à La Terre » - Fatals Picards
Auteurs-compositeurs : Yves Giraud, Laurent Honel, Paul Léger, Jean-Marc Sauvagnargues
© 2011 Warner Music France. Avec l'aimable autorisation de WARNER MUSIC FRANCE. A Warner Music Group Company

Bien dans sa peau !

Objectifs

Parler de son corps
Préciser une action avec le gérondif
Utiliser des préfixes et des suffixes

C'est grave docteur ?

Forum santé

Bonjour, j'ai très mal au dos depuis 2 semaines, et rien ne me soulage : paracétamol, aspirine, crème... Même quand je suis assis au travail, je souffre énormément. J'évite de bouger : je marche un minimum, je reste assis ou allongé chez moi, mais ça continue quand même. Je suis très inquiet. Merci de me donner des conseils.
Marco Dudos

Cher Marco Dudos, en fait, la marche est excellente pour le mal de dos. Tu dois bouger pour détendre tes muscles, ne reste pas assis ou couché. Si ça ne passe pas, consulte ton médecin et fais quelques séances de massage chez le kinésithérapeute. Ne t'inquiète pas, ça va passer. Courage ! À plus,
Claire

Bonjour, j'ai d'énormes difficultés à dormir en ce moment. Toutes les nuits, je me réveille à 3 heures du matin et je ne peux plus me rendormir. C'est affreux, au travail je suis épuisée et je ne peux pas me concentrer. Je suis nerveuse et parfois je m'endors devant mon ordinateur. Des idées à me suggérer ?
Agrippine

Chère Agrippine, pas de panique ! Voici les bons remèdes : fais du sport, mange léger le soir, ne lis pas tes mails professionnels le soir, prends une infusion à la lavande avant de te coucher. Tu verras, si tu adoptes une bonne hygiène de vie, ça va aller.
François

Bonjour, je suis hyper stressée en ce moment : j'ai 3 enfants, je travaille à plein temps, et mon chef me téléphone même le soir et le week end. Je ne dors plus, j'ai des migraines et je suis très inquiète. Aidez-moi !
Inès

A

REPÉRER

1. Observez les documents et répondez aux questions suivantes.

a. Quels sont les mots clés qui résument ces documents ?

b. Par 2, donnez 2 conseils pour avoir une bonne hygiène de vie (*il faut / il ne faut pas + infinitif*).

COMPRENDRE

2. Regardez le document B et répondez aux questions suivantes.

a. Qui a fait cette affiche ? À qui est-elle destinée ?

b. Quels sont les objectifs de cette campagne ?

3. Lisez les témoignages du document A. Pour chaque personne, faites la liste des symptômes décrits et des conseils donnés.

4. Écoutez attentivement cette conversation entre Maxime et son médecin. Regardez aussi la vidéo !

a. 1re écoute :

- Quels sont les symptômes de Maxime ?

- D'après le médecin, quelle est l'origine du problème de Maxime ?

- Est-ce que le médecin lui prescrit des médicaments ?

b. 2e et 3e écoutes :

- Citez 3 mauvaises habitudes de Maxime.

- Citez au moins 2 recommandations que fait le médecin à Maxime.

- Quelles sont les pires habitudes de Maxime d'après vous ?

c. Par 2 : et vous, avez-vous une bonne hygiène de vie ? Expliquez.

Découvrir

B

PRATIQUER

5. Observez le document A. De la même façon, formulez des ordres et des interdictions avec les phrases suivantes.

→ *Consulte ton médecin.*   → *Ne t'inquiète pas.*

a. (Ne pas regarder la télévision) ... quand vous mangez.

b. (Boire) ... 1 litre d'eau par jour.

c. (Avoir) ... toujours un fruit sur vous.

6. On vous demande d'établir une liste de conseils pour inciter les enfants à vivre sainement. Par 2, faites une liste de 5 recommandations et 5 interdictions en utilisant l'impératif.

→ *Recommandation : Mangez à table.*

→ *Interdiction : Ne mangez pas devant la télévision.*

7. Répondez à Inès (doc. A) : donnez-lui 3 conseils.

À VOUS !

8. Par 2, simulez une conversation entre 2 amis : A et B. A est malade et inquiet. B lui donne des conseils et le rassure. Jouez votre scène puis recommencez en inversant les rôles.

MINUTES SON

a. Écoutez les mots et dites si vous entendez le son [f] ou [v].

b. Écoutez les paires de mots et dites si vous entendez f/f, v/v ou f/v.

c. Écoutez et répétez : Je voudrais voir une foire de la France profonde.

PARLER DE SON CORPS

Vocabulaire

> **Symptômes**
- Avoir mal **à** : j'ai mal à la tête / à la gorge / à l'oreille...
J'ai mal **au** dos / **au** ventre.
- Maladies : j'ai une indigestion, un rhume, la grippe...
J'ai de la fièvre, je me sens fatigué(e).
- Malade, bien-être, en bonne ou mauvaise santé...

> **Remèdes**
- Le médecin prescrit un **médicament** (aspirine, antibiotique, etc.).
- Le paracétamol **soulage** le mal de tête / de dos.

> **Interroger sur la santé**
Ça va ? Ça ne va pas ? Qu'est-ce qu'il y a ? Vous avez l'air...

> **Exprimer l'inquiétude**
Je suis inquiet(e), j'ai peur de... + infinitif

> **Rassurer, encourager**
Ce n'est pas grave / ce n'est rien / ça va aller ! / ne t'inquiète pas.

> **Le soulagement**
Ouf ! Je suis soulagé(e) ! / ça va mieux / ça y est, c'est fini.

Communication

> **Donner un conseil**
Construction : DEVOIR au conditionnel + infinitif.
Tu devrais / vous devriez faire plus d'exercice.

> **Ordonner, interdire, recommander : l'impératif**
L'impératif se forme sur le modèle du présent de l'indicatif.
<u>Attention</u> : on n'utilise pas les pronoms sujets (tu, nous, vous) à l'impératif.

	ORDRE	INTERDICTION
(tu)	Regarde !	Ne bouge pas !
(nous)	Écoutons !	N'attendons pas !
(vous)	Buvez !	N'écrivez pas !

⚠ Pour la 2e personne du singulier des verbes en -er, le « s » final du présent de l'indicatif disparaît.
Tu regardes → regarde !

⚠ Exceptions :
- Avoir : aie / ayons / ayez.
- Être : sois / soyons / soyez.

➡ *Voir Cahier d'Entraînement* **U 6**

'ai la pêche !   J'ai la pêche !   J'ai la pêche !   J'ai la pêche !

Un esprit sain, un corps sain

S Si vous passez des heures devant votre ordinateur, vous risquez d'avoir des douleurs persistantes, et même chroniques. Voici quelques exercices très simples pour détendre vos muscles et éviter les maux de dos et autres problèmes.

Exercice n°1 : étirement du dos et des bras
• Tendez les bras devant vous en croisant vos mains, les paumes vers l'extérieur.
• Levez vos bras au-dessus de votre tête puis baissez-les.
• Tendez vos bras au maximum, baissez les épaules tout en étirant le haut de votre dos.
• Tenez la position quelques secondes et recommencez 3 fois.

Exercice n°2 : étirement du cou (1)
• Croisez vos doigts derrière votre nuque.
• Inclinez la tête à gauche, puis à droite, en arrière et en avant.
• Tenez la position et recommencez 3 fois.

Exercice n°3 : étirement du cou (2)
• Posez votre main droite sur votre coude gauche, et touchez votre épaule droite avec votre main gauche.
• Penchez la tête à gauche, tenez la position quelques secondes.
• Répétez en changeant de bras.

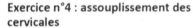

Exercice n°4 : assouplissement des cervicales
• Touchez votre épaule droite avec l'oreille droite, tout en baissant l'épaule gauche.
• Répétez ce mouvement du côté gauche.
• Recommencez 5 fois.

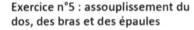

Exercice n°5 : assouplissement du dos, des bras et des épaules
• ....
• ....
• ....

REPÉRER

1. Observez les documents et répondez aux questions.

a. Quel type d'activité est présenté dans ces deux documents ? Quelle est l'utilité de ces exercices physiques ?

b. Associez les types d'exercice suivants avec leur définition :

un étirement •   • exercice qui développe les muscles
un assouplissement •   • exercice qui permet d'allonger les muscles
de la musculation •   • exercice qui permet d'être plus flexible

 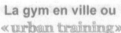

La gym en ville ou « urban training »

COMPRENDRE

2. Lisez attentivement le document A.

a. Mimez les exercices 1, 2, 3, 4.

b. Toujours par 2, écrivez les consignes de l'exercice 5 en vous inspirant des autres exercices.

3. Écoutez cette émission de radio sur la gym en ville.

a. Dites si les affirmations suivantes sont vraies ou fausses.

- On utilise la ville comme un terrain de jeu.

- La gym en ville se pratique avec un entraîneur sportif.

- La gym en ville est exclusivement pour les sportifs confirmés.

- Tristan n'a pas eu de douleur après la séance de gym.

La nouvelle folie des citadins : *«urban training».* Pour tous ceux qui préfèrent faire du sport à l'extérieur plutôt qu'enfermés dans une salle de sport ! Musclez-vous en utilisant un banc public ou un escalier.

Exprimer ⟵

b. 2e et 3e écoutes : trouvez les informations suivantes.
- Citez deux objets urbains utilisés pour la gym de ville.
- Quelle est la durée d'une séance type ?
- Quelles sont les 3 étapes de la séance ?
- Quels sont les avantages des cours de gym en ville ?

c. Et vous, est-ce que vous pratiquez une activité sportive ? Laquelle ?

4. Observez les verbes au gérondif (en gras) et les verbes soulignés :
→ _Tendez_ les bras devant vous **en croisant** vos mains.
→ _Baissez_ les épaules tout **en étirant** le haut de votre dos.

a. Est-ce que les deux actions (verbes soulignés et gérondifs) se produisent : au même moment ou à des moments différents ?
b. Observez cette phrase du document A : « _on s'échauffe_ **en courant** et **en faisant** _des étirements_ ».
À quoi sert le gérondif dans cette phrase ?

PRATIQUER
5. Transformez les phrases en utilisant le gérondif.
→ _Il téléphone quand il conduit_ → _Il téléphone_ **en conduisant**.
- Elle écoute la radio quand elle cuisine.
- Ils écoutent leur lecteur mp3 quand ils font leur footing.
- Elles font des assouplissements quand elles arrivent au bureau.

6. J'ai un problème... Proposez des solutions à leurs problèmes avec le gérondif.
→ _J'ai très mal au dos_ → _tu peux soulager la douleur_ **en faisant** _des étirements._
- Je n'ai pas le temps de faire du sport régulièrement.
- J'ai des courbatures après le sport.
- Je voudrais maigrir.

À VOUS !
7. Par 2, vous organisez des séances de gym en ville.
Pour attirer les gens, vous créez une page web publicitaire.
Votre page doit être claire, attractive et contenir toutes les informations pratiques (description, horaires, prix, avantages...).

MINUTES SON

a. Quel son entendez vous pour chaque mot : [ɑ] / [ɔ] / [ɛ] ?
b. Écoutez et répétez ces phrases. Comment s'écrivent les sons [ɑ] / [ɔ] / [ɛ] ?
- Le c**ous**in itali**en** de Rom**ain** m**on**te une entreprise à B**om**bay.
- On ét**ein**t les téléph**on**es en **en**tr**an**t en réuni**on**.

LE GÉRONDIF

Grammaire

> **Formation du gérondif**
En 1re personne du pluriel du présent + -ant :
Nous <u>buv</u>ons → en <u>buv</u>ant
Nous <u>pren</u>ons → en <u>pren</u>ant
Nous <u>fais</u>ons → en <u>fais</u>ant

⚠ Exceptions
- Être → en **é**tant
- Savoir → en **s**achant

> **Utilisation du gérondif**
Le gérondif s'utilise pour :

- exprimer la simultanéité ;
Il ne faut pas téléphoner **en conduisant**.

- exprimer le moyen, la manière.
On peut obtenir beaucoup d'informations pratiques **en consultant** _Internet._

Communication

> **Donner des explications**
- _Comment ça marche ?_ = _Comment ça fonctionne ?_
- _Il faut ..._

> **Expliciter, expliquer**
C'est-à-dire...

Vocabulaire

> Un symptôme
> Un étirement / un assouplissement
> Un entraînement / un entraîneur
> Un muscle / se muscler / étirer ses muscles / allonger ses muscles
> Une douleur / une courbature / un mal (des maux)
> La paume de la main = l'intérieur de la main
> Tenir la position
> Incliner = pencher la tête
> Répéter = recommencer
> Douleurs chroniques = douleurs régulières

⟹ _Voir Cahier d'Entraînement_ **U 6**

en mangeant   L'appétit vient en mangeant   L'appétit vient en mangeant

Bien-être et relaxation

A

Le stress touche fréquemment ou occasionnellement 76 % des Français, d'où l'explosion des thérapies de « bien-être » et de remise en forme. De plus en plus de Français pratiquent ces nouvelles thérapies pour décompresser. En voici trois exemples :

 La thalassothérapie

 Le massage de pierres chaudes

 Le Qi Gong

Les cures de thalassothérapie se déroulent dans des instituts situés en bord de mer. Basée sur les bienfaits de l'eau de mer et de l'environnement marin, la thalasso comprend des bains et des douches à l'eau de mer, des massages et des enveloppements à base d'algues et de boue marines. Tous ces soins redynamisent le corps et ressourcent l'esprit. On peut y aller seul ou à plusieurs, pour un jour ou une semaine. Dans tous les cas, on en ressort détendu et énergisé.

Le massage avec des pierres chaudes d'origine volcanique est une formule de plus en plus répandue. C'est un massage particulier : ce sont les pierres qui massent et non les mains. Comment ? Le masseur détend d'abord le corps en promenant les galets chauds tout le long du corps. Ensuite, il place les galets chauds sur des parties spécifiques du corps (sur le dos, les paumes, entre les orteils). La chaleur des pierres détend les muscles et calme les nerfs.

Le Qi Gong, est un art énergétique d'origine chinoise et pratiqué par 55 000 Français. Il s'agit d'une gymnastique complète, avec des mouvements statiques et dynamiques, de la relaxation mentale et des exercices de respiration.
Le Qi Gong permet une relaxation dynamique : il favorise la concentration et rééquilibre les énergies vitales. C'est une discipline qui apaise et dynamise à la fois.

REPÉRER

1. Observez le document et le titre de la leçon.

a. D'après vous, qu'est-ce que le « bien-être » ?

b. Que faites-vous personnellement pour favoriser votre bien-être et votre relaxation ?

c. À partir des 3 photos, dites quelle activité vous semble la plus apaisante ? La plus dynamique ? Pourquoi ?

COMPRENDRE

2. Lisez le document A et trouvez les informations demandées pour chaque thérapie (voir tableau). Puis, par 2, déterminez quelle thérapie il faut recommander pour une personne très stressée / ouverte / curieuse / dynamique.

	Thalasso	Pierres chaudes	Qi Gong
Description d'une séance (mots clés) ?			
Lieu ?			
Parties du corps ?			
Bienfaits ?			

3. Et vous, que faites-vous pour vous détendre ?

a. Écoutez les témoignages de Fred, Alice et Jules. Pour chacun, relevez les informations suivantes :

- Quelles sont les activités anti-stress de chacun ?

- Quels sont les bienfaits pour chacun ?

- Fred, Alice et Jules sont-ils des personnes solitaires ou sociables ?

Échanger

b. Par 2, dites quelle(s) thérapie(s) du document A vous recommandez à Fred, Alice et Jules. Pourquoi ?
→ *Nous recommandons la thalasso pour ... parce que ....*
c. Et vous, quels sont vos remèdes contre le stress ?

PRATIQUER

4. Observez cette liste de noms. Ces noms sont-ils masculins ou féminins ?

Enveloppement – essayage – information – étirement – bavardage – augmentation.

5. Dérivation

Transformez les verbes suivants en noms, en utilisant les suffixes -age, -ment, -tion.
→ *Informer → information.*

- Changer (un)
- Payer (un)
- Hériter (un)
- Préparer (une)
- Recycler (un)
- Concentrer (une)

6. Placez les verbes suivants à la bonne place dans les phrases. Et conjuguez-les au présent.

Revenir – repartir – ressortir – reprendre – revoir

- Je suis en vacances, mais je (...) le travail lundi matin.
- Il est parti en voyage d'affaires il y a une semaine, mais il (...) au bureau mardi prochain.
- Mon ancien colocataire Philippe a quitté notre appartement il y a six mois, mais je le (...) souvent dans le quartier.
- Il entre généralement au restaurant à 12h30, et il en (...) à 13h45.
- Pierre est toujours entre deux avions : il arrive à Paris ce soir et il (...) pour San Francisco demain matin.

À VOUS !

7. L'agence de bien-être « *Zéro Stress* » vous charge de faire une enquête sur le stress au quotidien.

Préparez un questionnaire à choix multiples sur les facteurs de stress au travail, à l'université, dans les lieux publics et à la maison.

→ *Au restaurant (lieu public), qu'est-ce qui vous stresse le plus : les appels téléphoniques, les serveurs impolis ou un service trop lent ?*

MINUTES SON

Intention de communication : question / exclamation
Écoutez et dites si les phrases sont des questions ou des exclamations.

PRÉFIXE ET SUFFIXE

Grammaire

> Préfixe = **qui se place au début du mot.**

> Suffixe = **qui se place à la fin du mot.**

> On utilise le préfixe -re pour exprimer la répétition d'une action.
- *Venir une 2ᵉ fois = venir encore = revenir*
- *Prendre une 2ᵉ fois = prendre encore = reprendre*
- *Voir une 2ᵉ fois = voir encore = revoir*
- *Faire une 2ᵉ fois = faire encore = refaire*

> De manière générale, on utilise les suffixes -tion, -age, -ment pour parler d'action.
- Ils se placent à la fin du nom.
- Le suffixe -tion forme des noms toujours féminins.
Une concentration – une préparation – une animation – une information.
- Les suffixes -age et -ment forment des noms toujours masculins.
Un changement – un jugement – un paiement – un assouplissement – un étirement.
Un massage – un bavardage – un lavage – un blocage – un héritage – un recyclage – un passage – un chauffage.

Vocabulaire

> Faire du bien à quelqu'un = être bénéfique à qqn

> Se ressourcer = reprendre de l'énergie

> Se détendre = se calmer = décompresser = être apaisé

> Apaiser = calmer

> Être calme, détendu(e) ≠ être tendu(e), stressé(e)

> Se défouler : faire une activité sportive intense pour évacuer le stress accumulé

> Faire du sport : de la course à pied (du footing, du jogging), de la natation, de l'aquagym, de la musculation, de la randonnée (marcher)...

> Une thérapie, une thalasso

→ *Voir Cahier d'Entraînement U 6*

Action !

Tâche finale

Dans votre entreprise, les Ressources humaines s'inquiètent des méfaits du stress sur les employés (absences, fatigue, disputes, maladies, maux de dos, etc.).

Vous devez monter un programme « bien-être au travail » pour promouvoir le bien-être dans votre entreprise.

a. Par groupe de 3, vous présentez un projet qui permettra de transformer l'entreprise en un lieu de vie agréable, avec des activités et des lieux de détente. Imaginez vraiment un environnement de travail et des habitudes de travail avec un minimum de stress : soyez idéalistes !

b. Notez-vous les uns les autres selon les critères suivants :
- motivation ;
- détente ;
- bienfaits personnels ;
- bienfaits pour l'entreprise.
Que l'entreprise la plus détendue gagne !

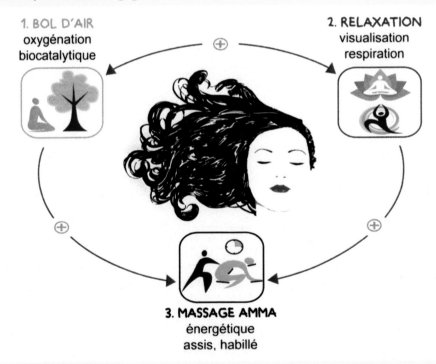

TACTIQUES

- Trouvez des remèdes à toutes les sources de stress de la vie professionnelle : le bruit, le manque d'espace, les tensions entre collègues, les chefs autoritaires, l'excès de travail…
- Pensez à tous les aspects de la vie professionnelle : les habitudes de travail, les activités de détente proposées, les lieux de convivialité pour les conversations informelles entre collègues…

Préparation au DELF

COMPRÉHENSION DES ÉCRITS

1 **Observez ce document et répondez aux questions (8 points).**

a. En cas d'incendie, quelles informations doit-on donner aux secours ?

b. Comment doit-on sortir s'il y a de la fumée ?

c. Vrai ou faux ? En cas d'incendie, il faut :
- sauver les papiers les plus importants en priorité ;
- évaluer le nombre de personnes en danger ;
- évacuer par l'ascenseur ;
- refermer les portes des salles à clé ;
- essayer en premier d'arrêter l'incendie.

d. Que peut-on utiliser pour arrêter l'incendie ?

Incendie
RÈGLES
· Garder son calme !
· Penser à sa propre sécurité avant celle des biens matériels !
· Sauver les vies en danger avant de combattre le feu !
1. ALARMER
· D'où part l'incendie ?
· Qu'est-ce-qui brûle ?
· Des personnes sont-elles en danger ? Combien ? (0)118
2. SAUVER
· Fermer les fenêtres et les portes (sans les vérouiller à clé).
· Quitter la zone dangereuse / ne pas utiliser d'ascenseur.
· Aider les personnes à mobilité réduite.
· Utiliser les voies d'évacuation signalisées.
· Quitter les lieux enfumés en rampant vers le sol.
3. ÉTEINDRE
· Combattre l'incendie avec l'extincteur le plus proche ou une couverture d'extinction. Ne pas se mettre en danger !
· Avertir le responsable sécurité des mesures prises.
· Diriger les sapeurs pompiers jusqu'au lieu de sinistre.
→**Puis donner les premiers secours et évacuer le bâtiment.**

2 **Lisez ce mail et dites si les affirmations sont vraies ou fausses (5 points).**

Objet : convocation à la visite médicale du travail

Monsieur,
Vous êtes invité à vous rendre le mercredi 8 novembre 2013 à 10h dans les locaux de Santé-Bâtiment,
au 6 rue du poteau – 37000 Tours, pour y passer la visite médicale annuelle du travail.
Venez avec votre carnet de vaccination, un échantillon d'urine et éventuellement vos verres correcteurs.
Nous vous rappelons que cette visite est obligatoire, et que vous bénéficiez d'une demi-journée
de congé pour vous y rendre.

Cordialement,
Luc ROMERO

Directeur des Ressources Humaines
BATIMONDE
Route de la Chesnay
37000 Tours

- Le mail est une invitation à visiter de nouveaux bâtiments.
- La visite a lieu dans les bâtiments de Batimonde.
- Le salarié doit prendre ses lunettes.
- La visite dure toute la journée.
- Luc Romero sera présent.

PRODUCTION ÉCRITE

3 **Vous venez de faire un séjour de remise en forme. Vous écrivez à un(e) ami(e) pour lui raconter (60 à 80 mots) (7 points).**

L'HOMÉOPATHIE*
EN FRANCE

L'HOMÉOPATHIE MARCHE TRÈS BIEN EN FRANCE. ELLE BÉNÉFICIE D'AVANTAGES BIEN PLUS IMPORTANTS QUE DANS N'IMPORTE QUEL AUTRE PAYS DU MONDE.

Le premier avantage concerne la sécurité sociale. La France est l'unique pays en Europe où les consultations homéopathiques continuent d'être remboursées par la sécurité sociale.

Cependant, c'est aussi l'unique pays en Europe où tous les homéopathes sont tenus d'être d'abord médecins généralistes.

Il est en effet impossible de se spécialiser en homéopathie en France si vous ne possédez pas un diplôme de médecine générale.

L'homéopathie est par ailleurs reconnue comme une spécialité médicale par l'ordre des médecins depuis 1997.

Sur la liste des exclusivités, on peut aussi ajouter que la France est le pays d'Europe où on a le plus recours aux homéopathes et aux médicaments homéopathiques.

On estime à environ 80 %, voire plus, la part de la France en termes de consommation des médicaments homéopathiques sur le continent.

[…] La fabrication des médicaments homéopathiques n'est […] soumise qu'à un contrôle de qualité élémentaire. Ils sont vendus en pharmacie sans ordonnance et, sur ordonnance, le taux de remboursement est de 35 %.

Source : http://homeopathie.com, 2011.

*Homéopathie : méthode thérapeutique basée sur l'administration à très faibles doses de produits qui, à fortes doses, entraînent les symptômes que l'on veut combattre.

> Quelle est la particularité de l'homéopathie en France ?

> Quelle est la condition pour être homéopathe en France ?

> Les Français utilisent-ils beaucoup l'homéopathie ?

> Dans votre pays, est-ce qu'on utilise beaucoup les traitements homéopathiques ?

> Et vous, utilisez-vous l'homéopathie ou d'autres médecines parallèles ?

CARNET PRATIQUE

> **Tourisme médical**
http://www.reponseatout.com/tourisme-medical-a-145,66.html

> **Bien-être au travail**
http://www.etre-bien-au-travail.fr/sante-et-travail

> **Site de la forme et de la santé (officiel)**
http://www.mangerbouger.fr/

> **INPES – institut national de prévention et d'éducation pour la santé**
http://www.inpes.sante.fr/

Quelle poisse !

Objectifs

Raconter un incident et faire une déclaration
Exprimer la cause et la conséquence
Parler de ses croyances

À l'aide !

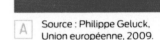

REPÉRER

1. **Observez les documents et répondez aux questions suivantes.**

a. Associez chaque document à une description : sensibilisation, prévention, information.

b. Trouvez 3 mots clés pour résumer l'ensemble des documents A, B, C.

COMPRENDRE

2. **Observez les documents A, B, C. Pour chacun des numéros d'urgence suivants (112, 15, 17, 18, 911) déterminez :**

- la zone géographique concernée
- le type de secours proposé.

| A | Source : Philippe Geluck, Union européenne, 2009. |

3. **Document B : trouvez dans le texte les synonymes des mots suivants.**
Attentif - téléphone portable - ne pas avoir assez d'espace - personne qui a vu un incident - lecteur mp3 - trajet.

4. **Dans le document B , quel conseil vous semble le plus pertinent ? Pourquoi ?**
- Et vous, quelles précautions prenez-vous pour éviter le vol dans les lieux publics ?
- Avez-vous déjà eu une mésaventure en ville ? Si oui, laquelle ?

5. **Écoutez le dialogue entre deux amis, Alexis et Chafika, et trouvez les informations suivantes.** Regardez aussi la vidéo !
a. Écoutez attentivement et trouvez ces informations :

Raison du retard d'Alexis	
Lieu de l'incident	
Circonstances de l'incident	
Objets perdus	
Actions d'Alexis après l'incident	

b. Écoutez encore une fois :
- Pourquoi Alexis n'a-t-il pas immédiatement remarqué la disparition de son sac ?
- Quel est le caractère d'Alexis ?
- Établissez un profil de la voleuse en quelques mots (personnalité, comportement, tactique).
- D'après vous, Chafika est-elle plutôt sérieuse ou amusée ? Pourquoi ?

6. **Observez les phrases suivantes extraites du dialogue.**
→ *Je n'ai rien vu.*   → *Personne n'est parfait.*
Que doit-on obligatoirement utiliser dans une phrase avec « rien » et « personne » ?

| B | Source : d'après le service de Police de la Ville de Montréal, 2011. |

Découvrir ←

NUMÉROS D'URGENCE

15 : le SAMU urgences médicales
17 : la police
18 : sapeurs-pompiers
112 : urgences Union Européenne

ABUSER DES NUMÉROS D'URGENCE
NUIT GRAVEMENT
À CEUX QUI EN ONT BESOIN
Les premiers secours, c'est pas pour jouer !

Campagne contre l'usage
abusif des appels d'urgence.

RACONTER UN INCIDENT

Vocabulaire

> Abuser, nuire, voler
> Un voleur, une voleuse
> Porter une attention particulière = être attentif
= faire attention
> Disparaître, une disparition
> Remarquer, observer ≠ ne rien voir
> La sensibilisation = sensibiliser le public
> L'information = informer le public
> La prévention = prévenir les accidents

PRATIQUER

7. **Répondez aux questions suivantes en utilisant « rien »
ou « personne ».**

→ *Avez-vous vu quelque chose ? - Non, je n'ai rien vu.*

a. Est-ce qu'il y a quelqu'un au premier étage ?   - Non, ...
b. Tu vois quelque chose ?   - Non, ...
c. Est-ce que quelqu'un a retrouvé mon sac ?   - Non, ...
d. Est-ce que quelque chose a changé hier soir ?   - Non, ...
e. Est-ce que quelqu'un sait quelque chose ?   - Non, ...

8. **Faites le portrait de la voleuse du sac d'Alexis
(document audio) en 4 phrases, en utilisant « ne...rien »
et « ne... personne ».**

→ *Elle n'a peur de rien. Personne ne la voit faire.*

À VOUS !

9. **Par 2, jouez une scène entre une victime de vol (A)
et un policier (B).**

La victime A imagine les circonstances de l'incident et les décrit
dans le détail.
Le policier B pose des questions pour obtenir les détails de
l'incident (nom, prénom, lieu et heure de l'incident, circonstances,
objets volés), et il prend des notes sur une feuille séparée.

Communication

> **Prévention**
- Faire attention à qch = garder un œil sur qch
Je fais attention à mon sac = je garde un œil sur mon sac.
- Être vigilant(e), attentif (attentive)

> **Être victime**
- Être victime d'un vol / d'un accident
- Demander de l'aide
- Appeler les premiers secours : les pompiers /
le Samu / la police
- Faire une déclaration de vol, de perte... /
porter plainte pour vol (au poste de police)
- Remplir un formulaire, une fiche administrative

> **Questionner sur un incident**
- Que s'est-il passé ?
- Qu'est-ce qui vous (t') est arrivé ?
- Comment ça s'est passé ?

> **Exprimer son désarroi**
Je ne sais pas quoi faire / je suis vraiment désemparé(e)

> **Demander de l'aide**
⚠ Pourriez-vous m'aider s'il vous plaît ?
⚠⚠ S'il vous plaît, j'ai besoin d'aide.
⚠⚠⚠ À l'aide ! Au secours !

> **Exprimer la négation totale de chose
ou de personne**
Rien et **personne** s'utilisent toujours avec la négation
« ne ».
Rien ne change.
Personne n'a téléphoné.
Elle ne connaît personne à cette soirée.
Il ne prend rien au petit déjeuner.

MINUTES SON

a. [ʃ] ou [ʒ] ? Lequel des deux mots entendez-vous ?
- bouger / boucher   - sage / sache
- joue rouge / chou rouge   - large / l'arche
b. Écoutez et répétez : Je cherche des gens charmants pour jouer au bridge.

→ *Voir Cahier d'Entraînement U 7*

Petits tracas

51

A

POUR TOUS VOS TRAVAUX, PENSEZ illico ! www.illico-travaux.com

Vous cherchez une solution simple et efficace pour vos travaux ?
Ne cherchez plus : **illico** est là pour vous aider !

illico, c'est une équipe de professionnels pour tous dépannages et travaux de :
• plomberie
• chauffage
• serrurerie
• électricité
• maçonnerie.

Grâce à **illico**, vous obtiendrez :
• la **qualité** : du travail, du service et du matériel ;
• la **fiabilité** : de nos artisans et de nos travaux ;
• la **garantie** : des pièces et de la main d'œuvre.

N'attendez plus, contactez-nous au 04.11.21.11.21.
ou sur **www.illico-travaux.com** pour obtenir un devis clair et compétitif.

REPÉRER

1. **Observez les documents. Parmi les mots suivants, lesquels résument le mieux chaque document.**

Les tâches domestiques – l'entretien de la maison – les loisirs – les petits problèmes matériels.

COMPRENDRE

2. **Lisez les documents et répondez aux questions suivantes.**

a. Les documents A et B concernent-ils des travaux amateurs ou professionnels ?

b. Feriez-vous confiance à Illico pour vos travaux (doc. A) ? Pourquoi ?

c. D'habitude, comment recrutez-vous vos artisans (Internet, bouche à oreille, annuaire...) ?

d. Lisez le document B. Est-ce que Clément bricole beaucoup ? Pourquoi ?

3. **Écoutez les messages du répondeur téléphonique de la Société Illico.**

a. Pour chaque message, trouvez les informations suivantes :

- Problème à résoudre

- Spécialité concernée (chauffage, serrurerie, électricité, plomberie, maçonnerie...)

- Degré d'urgence de l'intervention (peu urgente / très urgente).

b. Relevez les formules téléphoniques utilisées pour :

- s'identifier   - donner le motif de l'appel   - demander à être contacté ou dépanné.

c. Comment les personnages expriment la cause et la conséquence dans les messages ?

Repérez les tournures de phrases et les mots employés.

PRATIQUER

4. **Cause et conséquence**

Complétez le texte avec les expressions de cause et de conséquence suivantes :

grâce à / à cause de / c'est pourquoi / puisque / comme / parce que.

> Le 31 décembre au soir, (...) c'était le réveillon, j'allais à une fête. Je me dépêchais (...) j'étais en retard.
> J'étais très pressé et (...) j'ai fait une erreur en partant : j'ai oublié ma clé et mon sac dans mon appartement.
> J'étais coincé dehors, sans argent et sans téléphone portable ! (...) je n'avais pas mon portable, je ne pouvais
> même pas appeler le serrurier. J'ai sonné chez ma voisine et (...) son aide j'ai pu appeler un serrurier. Mais un
> autre problème a surgi : (...) la neige, toute la ville était bloquée, et le serrurier aussi !

Exprimer ⇐

Bricoleur du dimanche, expérimenté ou débutant, chaque mois un de nos membres bricoleurs répond à nos questions.

Ce mois-ci, c'est Clément, architecte de 32 ans vivant à Lyon, qui est notre bricoleur du mois.

Êtes-vous un bricoleur expérimenté ou débutant ?
Je suis plutôt débutant : je fais les petits travaux de bricolage pour entretenir la maison. Mais pour le reste, je préfère engager des artisans professionnels car je ne suis pas très manuel…

Est-ce que le bricolage est un plaisir pour vous ?
Oui et non. Souvent je bricole par nécessité, parce que c'est plus économique. Mais parfois j'aime bien bricoler en écoutant de la musique, ça me détend.

Combien d'heures par semaine ou par mois passez-vous à bricoler ?
Pas beaucoup : environ 2 heures par mois. À cause de mes voyages d'affaires, je passe peu de temps chez moi…

Avez-vous déjà fait un gros projet de bricolage ?
Pas encore. Comme j'ai peu de temps libre, je préfère le passer à me reposer.

B

5. Déjà / pas encore / ne … plus / ne … jamais

a. Observez ces phrases du document audio :

→ *Le maçon est **déjà** passé il y a deux semaines, mais je n'ai **pas encore** reçu son devis.*

→ *Vous m'avez dit que le serrurier arrivait tout de suite, mais il n'est **jamais** venu.*

Qu'expriment les mots « déjà », « pas encore », « ne … jamais » ?

b. Par 2, posez-vous des questions et répondez en utilisant les expressions déjà / pas encore / ne … plus / ne … jamais.

→ *As-tu déjà … ? Non je n'ai pas encore … / jamais … / oui j'ai déjà … .*

- Recruter un artisan par Internet
- Acheter un appartement / une maison
- Bricoler tout seul

6. Par 2, posez-vous les questions du document B et échangez.

À VOUS !

7. Par 2, imaginez deux scènes téléphoniques entre un client et un artisan (un plombier, puis un serrurier).

MINUTES SON 52

Écoutez ces phrases et dites quelles sont les liaisons en « z » obligatoires.

- Mes amis sont bons amis avec vos amis.
- Nous achetons des étagères à dix euros.

CAUSE ET CONSÉQUENCE

Grammaire

> La cause

• « Parce que », « comme » et « car » + explication.
*Je suis en retard **parce que** j'ai manqué le train.*
***Comme** je suis en avance, j'ai le temps de prendre un café.*
*Je ne suis pas venu **car** j'ai perdu l'adresse.*

• « Puisque » + cause évidente, connue de celui qui parle et de celui qui écoute.
Puisqu'il pleut, on doit annuler le pique-nique.
Puisqu'il y a une grève, tous les trains sont annulés.

• « À cause de » + cause négative (= un nom ou un pronom).
*Je ne peux pas partir en weekend **à cause** d'une panne de voiture.*
*Il est absent **à cause** d'une indigestion.*

• « Grâce à » + cause positive (nom ou pronom).
*J'ai réussi mon examen **grâce** à l'aide de Paul.*

> La conséquence

« C'est pourquoi » + phrase.
*J'adore voyager, **c'est pourquoi** je suis hôtesse de l'air.*

> Déjà / pas encore / ne … plus / ne … jamais

- Tu veux manger ?
- Non merci j'ai déjà déjeuné.

- Pierre est au bureau ?
- Non, il n'est pas encore arrivé, il est en route.

- Tu fais du théâtre ?
- Non, j'en faisais à l'université, mais maintenant je n'en fais plus.

Communication

> Se présenter au téléphone
- Bonjour, **ici** Hugo Duchesne…
- Bonjour, Hugo Duchesne **à l'appareil**…

> Demander quelqu'un au téléphone
Est-ce que je pourrais parler à Mme Dulin ?

> Annoncer le sujet au téléphone
*J'appelle au **sujet de**… + nom*

> Demander un rappel
- Pourriez-vous me rappeler au (numéro de téléphone), s'il vous plaît ?
- Merci de me rappeler au (numéro de téléphone).

⇨ *Voir Cahier d'Entraînement U 7*

s la porte   Mettre la clé sous la porte   Mettre la clé sous la porte

Tu y crois ?

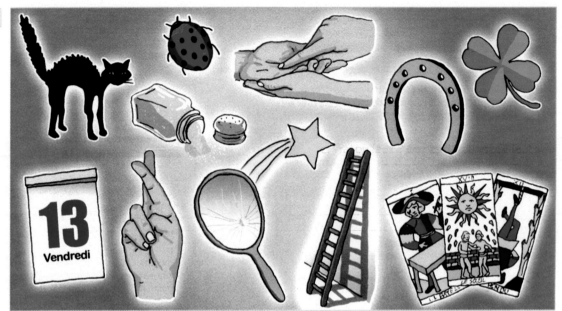

1. **Observez les documents et répondez aux questions suivantes.**

a. Observez les dessins et expliquez à quoi ils font allusion.

b. Est-ce que ces superstitions existent aussi dans votre pays ?

c. Connaissez-vous d'autres superstitions ?

d. Repérez les mots « y » et « en » dans le document B. Que veulent-ils dire selon vous ?
Comment faut-il les employer ?

COMPRENDRE

2. **Lisez le document B.**

a. Associez un profil avec un témoignage : le superstitieux déterminé – le rationaliste – le superstitieux modéré.

b. Établissez la liste des porte-bonheur et des porte-malheur cités.

c. Qu'est-ce que Max15 reproche aux superstitions ?

d. Et vous, croyez-vous aux superstitions représentées dans les documents A et B ? Ou à d'autres ?

3. **Écoutez le témoignage de Djamila, une Marocaine installée en France, qui compare ses coutumes et les coutumes françaises.**

a. Citez deux superstitions marocaines.

b. Pourquoi est-ce que Djamila a arrêté de croire aux superstitions marocaines ?

c. Laquelle des superstitions françaises trouvez-vous la plus bizarre ? La plus drôle ?

d. D'après Djamila, les Français sont-ils rationnels ?

4. **Et vous, avez-vous déjà découvert des coutumes ou des superstitions insolites dans des pays étrangers ? Lesquelles ?**

D'après vous, quelles coutumes pourraient surprendre un étranger qui viendrait dans votre pays ?

Échanger

> Selon une étude récente, 41 % des Français sont superstitieux. Et vous ?
> Avez-vous peur de passer sous une échelle, du vendredi 13 ou des chats noirs ?
> Avez-vous un porte-bonheur sur vous ? Dites-nous tout !

1. Les superstitions, c'est n'importe quoi ! Je ne crois ni aux porte-bonheur, ni aux porte-malheur. Je pense que toutes ces croyances sont pure invention, et c'est aussi un marché énorme : voyance et radiesthésie rapportent beaucoup d'argent. Et pour le loto du vendredi 13 ? Il y a 3 fois plus de joueurs… C'est de l'arnaque !
Max15

2. Moi je crois en certaines choses seulement. J'en suis sûre, les porte-bonheur existent : le chiffre 13 qui porte malheur et les trèfles à quatre feuilles qui portent bonheur. D'ailleurs, j'en ai toujours un sur moi : un petit trèfle en bois. Je l'emporte à tous mes examens. Et ça marche, je les ai tous réussis !
Lilou23

3. Ah moi, les superstitions j'y crois ! Ma mère est espagnole alors, comme elle, je crois que le jaune porte malheur. Et en même temps, comme beaucoup de Français, je crois qu'ouvrir un parapluie dans une maison porte malheur… Je consulte aussi mon horoscope tous les jours.
Simon24

PRATIQUER

5. Complétez ce dialogue avec les pronoms « y » et « en ».

— J'étais inquiet pour mon examen, mais j'ai consulté ma voyante ce matin et elle m'a dit que j'allais tout réussir ! Ouf, je suis rassuré !
— Quoi ? Tu crois à la voyance ?
— Oui j' (…) crois ! Chaque fois qu'elle me prédit quelque chose, ça se produit ! Et toi, tu crois aux prédictions ?
— Non, je n' (…) crois pas du tout. Tu vas souvent voir ta voyante ?
— J' (…) vais tous les mois.
— Mais alors tu dépenses beaucoup d'argent en prédictions ?
— J' (…) dépense un peu seulement car elle me fait un tarif réduit. Mais toi aussi tu es superstitieuse : tu joues toujours au loto les vendredis 13 ! Alors, tu as eu de la chance ?
— Non, je n' (…) ai jamais eu. Donc je suis devenue rationaliste !

À VOUS !

6. Dans le cadre de l'opération « Culture, cultures », vous devez faire un sondage pour déterminer si votre classe est plutôt superstitieuse ou rationaliste.

- Préparez trois questions destinées à vos partenaires de classe.
- Posez les questions à un maximum de personnes dans la classe pour savoir qui est superstitieux.

→ - Est-ce que tu crois à … ?   - Oui, j'y crois / non, je n'y crois pas.

MINUTES SON

Agacement / constat
Écoutez et dites si les phrases sont des constats ou des reproches.

Y / EN

Communication

> Parler de la chance

- Bonne chance ! (= à dire à quelqu'un qui passe un examen)

- Avoir de la chance ≠ avoir la poisse
Il a de la chance : il a gagné au loto.
J'ai la poisse aujourd'hui : mon téléphone ne marche pas et j'ai perdu mes lunettes.

- Il y a des jours avec et des jours sans = avec de la chance et sans chance

> Parler de ses superstitions

- Faire un vœu (quand on voit une étoile filante)

- Être superstitieux, superstitieuse ≠ être rationaliste

- Avoir peur **de** quelque chose
Beaucoup de Français ont peur des chats noirs.

- Croire **à** quelque chose
Certains croient aux fantômes.

- Porter bonheur ≠ porter malheur
Toucher du bois porte bonheur.
Passer sous une échelle porte malheur.

Grammaire

> Le pronom « y » (=> construction avec « à »)

▪ Ce pronom remplace un lieu.
Je travaille à Marseille. J'y travaille.

▪ Ce pronom remplace le nom d'une chose dans la construction : verbe + à (au, à la, à l', aux) + nom (chose).
Je pense à mes vacances. J'y pense.

▪ Quelques verbes : croire à, penser à, réfléchir à, s'intéresser à, se préparer à…

> Le pronom « en » (=> construction avec « de »)
Il remplace le nom d'une chose dans la construction : verbe + du (de la, de l', des) + nom (chose).

Je bois de la limonade. J'en bois.
J'ai de la chance. J'en ai.
J'ai du lait dans ma cuisine. J'en ai dans ma cuisine.
Il achète une boîte de biscuits. Il en achète une boîte.

⚠ Les pronoms « y » et « en » se placent **entre** le sujet et le verbe dans la phrase !

⇨ *Voir Cahier d'Entraînement U 7*

Action !

Tâche finale

Coups de malchance : le concours !

Vous participez à un concours d'anecdotes insolites. Dans chaque groupe, chacun invente une histoire de malchance, sous une forme comique.

a. Mettez-vous par groupes de 3-4 personnes.

b. Choisissez parmi les titres suivants le sujet de votre coup de malchance :
- Mon voyage catastrophe
- Problème à l'aéroport
- Mon coup de poisse
- Carte volée
- Ma journée de cauchemar
- Mes voisins d'enfer
- Vendredi 13...
- Un rendez-vous manqué

c. Prenez 5 minutes pour préparer votre histoire imaginaire.

d. Racontez-vous vos histoires dans votre groupe.

e. Élisez l'histoire la plus réussie.

TACTIQUES

- Utilisez TOUTE votre imagination : créez une histoire, inventez des rebondissements drôles et farfelus, l'objectif est de vous amuser et d'amuser les autres en la racontant.
- Pendant la préparation, écrivez les mots clés de votre histoire (pas de phrases entières).
- Réutilisez un maximum d'expressions vues dans l'unité.
- Soyez expressif : faites des pauses, des gestes etc., comme si vous aviez vraiment vécu les événements.

Préparation au DELF

COMPRÉHENSION DE L'ORAL

1 **Écoutez ce message sur répondeur téléphonique. Répondez aux questions (5 points).**

a. Xavier Dupuis est : plombier / chauffagiste / électricien ?

b. Xavier Dupuis appelle pour : un devis / une réparation / un dépannage en urgence ?

c. Quel est le problème de Xavier Dupuis ?

d. Quand propose-t-il un rendez-vous ?

e. À quel numéro doit-on le rappeler ? 06.(..).(..).(..).(..).

2 **Écoutez la conversation suivante entre deux collègues de bureau. Répondez aux questions (5 points).**

a. Quel appareil ne marche pas ?

- Une machine à café   - Un photocopieur   - Un ordinateur

b. Qu'est-ce qui a été perdu à cause de la panne ?

c. À cause de cela, qu'est-ce que le collègue doit faire ?

- Prendre rendez-vous   - Annuler un rendez-vous   - Annuler une réunion

d. Pourquoi Julien pourrait l'aider ?

e. Qui d'autre pourrait l'aider ?

3 **Écoutez cette annonce à l'aéroport. Répondez aux questions suivantes (5 points).**

a. Le vol pour Vancouver est annulé à cause : d'une panne / du mauvais temps / d'un problème de sécurité ?

b. Quand partira le prochain vol pour Vancouver ?

- Ce soir à 16 h 45   - Demain à 8 h 45   - Demain matin à 6 h 45

c. Où doivent aller les passagers ?

d. Que va-t-on distribuer aux passagers ?

e. Quand est-ce que les passagers pourront partir pour Vancouver ?

PRODUCTION ORALE

4 **Exercice en interaction (3-4 minutes) (5 points).**

CLUB DE REMISE EN FORME

BUZZ

LA RÉPONSE À TOUTES VOS ENVIES DE SPORT !

- Une formule souple : ouvert **7/7** jours, de 6h à 23h, les dimanches et jours fériés.
- Des espaces de détentes **conviviaux** : un espace salon avec des canapés et des rafraîchissements offerts par le club, idéal pour se reposer ou parler avec les autres membres.
- Un cadre **moderne, agréable, relaxant**.
- Pas de compétition, pas de frime.
- Des machines d'entraînement cardio **haut de gamme** et efficaces.
- Des séances **collectives** de yoga, pilates, aérobic, danse, musculation, dans nos **deux grands studios**.
- Prix : 39 €/mois, abonnement d'un an minimum.
- Pour s'inscrire il faut : une pièce d'identité, une avance de 39 euros, une photo d'identité.

Par 2, jouez une scène entre les personnages A et B dans une salle de sport.

- A : vous visitez la salle de sport de votre quartier. Vous demandez des informations sur les tarifs, les horaires, le type de cours disponibles, les formalités d'inscription...

- B : vous travaillez dans la salle de sport ci-dessous, et vous renseignez A et l'aidez à s'inscrire (Quel cours ? A est-il sportif ? Que veut-il faire ? Comment s'inscrire...).

ENQUÊTE
LA VOYANCE, UN MARCHÉ D'AVENIR !

**LA CRISE EST UNE AUBAINE POUR LES VOYANTS ET LES MAGNÉTISEURS*.
NOMBREUX SONT LES FRANÇAIS QUI FONT APPEL À EUX, NOTAMMENT POUR LEUR VIE PROFESSIONNELLE. ENQUÊTE.**

D'après le reportage diffusé ce soir dans *Envoyé spécial*, un Français sur quatre consulte un voyant au moins une fois par an. Parmi les clients des marchands d'avenir, de plus en plus de professionnels, commerçants et traders se tournent vers eux pour prendre leurs décisions. La voyance représente actuellement un marché de 3 milliards d'euros et la crise lui profite. Le célèbre médium Claude Alexis, qui officie dans l'émission *Voyance en direct* sur Vivolta, l'a constaté : « les Français sont avant tout préoccupés par leur avenir professionnel. Évolution de carrière, promotion, licenciement... ils veulent vaincre leurs incertitudes dans ce domaine. [...] »

« La Faucheuse » peut être positive

Cécile, 32 ans, a franchi le pas. Travaillant à son compte dans le paramédical, il lui arrive de tirer les cartes à ses patients pour 30 €. « J'ai toujours baigné dans ce milieu : mon grand-père lisait les lignes de la main. Un voyant réputé m'a enseigné la cartomancie*. J'utilise l'oracle de Belline. Le but est d'apporter un mieux-être, un éclairage à ceux qui se trouvent dans une période charnière*. » [...] Alors demain, tous voyants ? C'est assurément une activité lucrative* en plein essor*.

Delphine : « Grâce à la radiesthésie, mon chiffre d'affaires a augmenté de 30 % »

« J'ai racheté mon salon de coiffure en 2008 avec un appartement au-dessus. Mon prédécesseur était en faillite et dépressif. Après mon installation, j'étais tout le temps malade. Le salon ne décollait pas, alors qu'il est situé dans une rue très passante. Pour mes deux affaires précédentes, je n'avais rencontré aucun problème. Une cliente m'a conseillé de faire appel à Gérard Grenet. Trois jours après son passage, les plantes étaient en pleine forme et moi aussi. Depuis, mon chiffre d'affaires a augmenté de 30 % ! »

Source : www.francesoir.fr, 2 septembre 2010.

* Magnétiseur, radiesthésiste : qui soigne les gens par les ondes magnétiques.
* Cartomancie : lecture de l'avenir par les cartes.
* Une période charnière : une période de transition.
* Lucratif : qui rapporte beaucoup d'argent.
* Essor : développement.

> D'après vous, pourquoi est-ce que la voyance connaît un succès de plus en plus important ?

> Accepteriez-vous de consulter Cécile pour une séance de cartomancie à 30 € ? Pourquoi ?

> Est-ce que vous croyez que le succès commercial de Delphine est le résultat de sa séance de radiesthésie ?

> Avez-vous déjà fait une séance de voyance ? Si oui, est-ce que les prédictions se sont réalisées ?

> Croyez-vous à la voyance ?

CARNET PRATIQUE

> **Préfecture de police de Paris : www.paris.fr**
Dans la rubrique « Numéros utiles », vous trouverez les numéros d'appels d'urgence et de dépannage gaz, eau, électricité.

> **Les Sceptiques du Québec** organisent un concours de prédictions sur l'avenir. Les membres peuvent faire des prédictions sur l'année. Leur but ? Prouver « qu'il n'est pas nécessaire d'être voyant ni astrologue pour prédire avec succès certains événements. » **www.sceptiques.qc.ca**

Les nouveaux travailleurs

Objectifs

Parler des relations professionnelles
S'exprimer au conditionnel
Monter une association

Éthique
association
génération Y
projet coaching CARRIÈRE
travail de rêve professionnel BÉNÉVOLAT

Génération « Y »

a)

b)

c)

REPÉRER

1. Observez les documents.

Imaginez les ambiances de travail des bureaux a, b et c photographiés. Dites à quelle photo vous associez les descriptions suivantes :

- C'est un lieu de travail convivial, décontracté et l'où on encourage les employés à exprimer leurs opinions.
- C'est une entreprise où la hiérarchie est importante, où les décisions sont prises par les directeurs et où il faut s'habiller et se conduire de manière formelle.
- On s'y tutoie entre collègues et même avec ses supérieurs. Souvent, on sort le soir ou le weekend entre collègues.

COMPRENDRE

2. Lisez le document B et répondez aux questions suivantes.

a. Quelles sont les trois caractéristiques essentielles de la génération « Y » ?

b. Quelles sont les principales différences avec la génération de leurs parents ?

c. Que recherchent les « Y » au travail ?

d. En quoi est-ce que leur manière de travailler peut poser problème dans les entreprises traditionnelles ?

3. D'après vous, quelle(s) photo(s) du document A serait(ent) la mieux adaptée(s) aux aspirations des « Y » ? Pourquoi ? Et vous, quelles pratiques de travail préférez-vous ?

4. Écoutez les témoignages de Vincent, Fanny et Karim sur le travail et répondez aux questions suivantes. Regardez aussi la vidéo !

a. Quel est le métier de chacun ?

b. Quelles sont leurs priorités au travail ?

c. Sont-ils plutôt de type traditionnel ou « Y » ?

d. Quel cadre de travail du document A recommanderiez-vous à chacun d'eux ? Pourquoi ?

> *Génération « Y » : terme créé en 1990 par deux sociologues américains, William Strauss et Neil Howes, qui fait référence à la nouvelle génération de travailleurs nés entre 1980 et 1995. On les appelle aussi « **Generation Why ?** » parce qu'ils posent beaucoup de questions, ou encore « génération digitale » parce qu'ils utilisent constamment les nouvelles technologies.*

PRATIQUER

5. Vocabulaire de l'entreprise

Associez ces expressions du texte avec leurs synonymes :

une relation donnant-donnant · · le directeur d'entreprise (PDG)

une arrivée au bureau aléatoire · · un chef

un patron · · une relation d'égalité

le numéro un · · un horaire d'arrivée flexible

LES «**y**» ARRIVENT AU BOULOT

Incontrôlable pour les uns, créative pour les autres, la nouvelle génération « Y » bouscule l'ordre établi de l'entreprise.

DES OVNIS DANS L'ENTREPRISE DE PAPA

Tutoiement, jeans, baskets, rollers dans les couloirs, heure d'arrivée au bureau aléatoire, réunion improvisée à la machine à café, dialogue d'égal à égal avec le chef... Dans les entreprises traditionnelles, l'intégration des « Y » ne se passe pas toujours bien.

Y'A PAS QUE LE TRAVAIL !

Il y a un vrai décalage entre eux et les générations précédentes, ils attachent plus d'importance à un équilibre entre vie privée et vie professionnelle. Désormais, l'idée d'épanouissement est importante.

ET LA TENDRESSE, CHEF ?

Les « Y » ne veulent pas un patron, mais un mentor, avec qui ils ont une relation donnant-donnant. Le modèle du petit chef ne passe plus. Ils posent des questions et disent ce qu'ils pensent, même au numéro un de la boîte. Décomplexés, les « Y » n'hésitent pas à parler augmentation et congés, même s'ils viennent d'arriver.
Enfin, ce sont des émotifs, capables de rester dans une entreprise parce que l'ambiance est cool. Et surtout, ils restent pour un projet.

UN PLAN DE CARRIÈRE À COURT TERME

Un projet oui, mais avec des prises de responsabilité rapides. Ces zappeurs-nés aiment passer d'un dossier à un autre, alterner les temps de présence au bureau avec du télétravail (travail à la maison). Sans hésitation, ils sont prêts à aller voir ailleurs, y compris à l'étranger.

6. Par groupe, réagissez aux affirmations suivantes. Êtes-vous d'accord ? Pourquoi ? $\boxed{B}$

- On ne mélange pas vie privée et vie professionnelle : on n'invite pas ses collègues à la maison.

- Ce n'est pas un problème de répondre au téléphone ou de consulter ses mails pendant une réunion.

- Pendant le weekend et les vacances, on peut contacter ses collègues par téléphone ou par mail pour leur parler de problèmes de travail.

À VOUS !

7. Vous avez commencé un nouvel emploi, et votre première journée a été remplie de problèmes et de mauvaises surprises : tout ce que vous n'aimez pas au travail !
Imaginez l'histoire (inventée ou réelle) de cette pire journée de travail. Et racontez-la.

MINUTES SON

[b] ou [v] ?
a. Écoutez les paires de mots et dites si vous entendez b/v ou v/b.
b. Écoutez et répétez : J'ai bel et bien vu la bague de ma voisine dans la vitrine !

LES RELATIONS PROFESSIONNELLES

Vocabulaire

> Un petit chef ≠ un chef ouvert, qui est favorable au progrès social (progressiste)

> Un patron = un PDG (président directeur général) = le n°1

> Une entreprise = une société = une boîte (*registre familier*)

> Une entreprise traditionnelle = une entreprise "à papa"

> Demander une augmentation

> Prendre un arrêt maladie, un congé maternité...

> Un travail épanouissant ≠ ingrat

> Avoir un plan de carrière

> L'épanouissement professionnel / personnel

> Un bureau individuel ≠ un bureau paysagé ou *openspace*

> Une ambiance de travail / les conditions de travail

> Le télétravail (travail à domicile) / des horaires souples ≠ fixes

> Tutoyer ≠ vouvoyer quelqu'un

> Travailler en costume-cravate, porter un costume-cravate

Communication

> **Parler des relations professionnelles**

· Avec ses collègues

*On se **tutoie** ou on se **vouvoie** ?*

*Je **tutoie** mon collègue Fabrice mais je **vouvoie** ma directrice Delphine.*

*Je **m'entends bien avec** mes collègues.*

· Avec son chef

*Nous avons **une relation d'égal à égal** : nous pouvons exprimer nos opinions en toute liberté et prendre des initiatives.*

*C'est **donnant-donnant** : ça ne me dérange pas de finir tard le soir mais je n'arrive jamais avant 10 heures le matin.*

> **Parler de sa carrière**

*J'ai **un plan de carrière** : j'ai des projets de carrière clairs et précis.*

⇨ *Voir Cahier d'entraînement U 8*

Le coaching

A

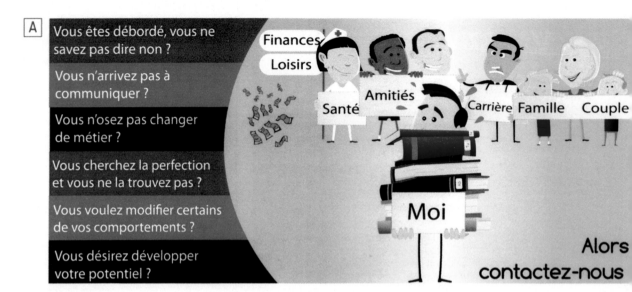

Vous êtes débordé, vous ne savez pas dire non ?

Vous n'arrivez pas à communiquer ?

Vous n'osez pas changer de métier ?

Vous cherchez la perfection et vous ne la trouvez pas ?

Vous voulez modifier certains de vos comportements ?

Vous désirez développer votre potentiel ?

Finances
Loisirs
Santé
Amitiés
Carrière Famille Couple
Moi

Alors contactez-nous

REPÉRER

1. Observez les documents. Pour quel genre de problème consulte-t-on un coach ?

COMPRENDRE

2. Observez le document B.

a. Qu'est-ce que le coaching de vie permet de faire ?

b. Pourquoi Claire a-t-elle consulté un coach ? Est-ce que son coaching a réussi ?

B

Coach et vie.net

Votre vie pourrait devenir beaucoup plus simple grâce au coaching : vous changeriez de métier, vous seriez plus sûr(e) de vous, vous communiqueriez mieux avec vos proches, vous réaliseriez pleinement votre potentiel… **N'attendez plus, le coach de vie est là pour vous aider à atteindre tous vos objectifs, petits ou grands !**

C'est quoi le coaching de vie ?

C'est pour qui ?

Comment se déroule le coaching ?

Mes compétences

Me contacter

Témoignage de Claire - 42 ans

Elle a créé son entreprise de création textile après 5 séances de coaching.

Cher Coachnet,

Suite à mes séances avec vous, j'ai pu monter ma propre entreprise de création textile. Depuis 4 mois, mon entreprise prend forme : j'ai trouvé le financement, des clients et même un associé ! Si vous n'étiez pas là, je n'oserais pas prendre d'initiative, je prendrais moins de risques, et mon entreprise n'existerait pas ! Merci infiniment !

Cordialement,
Claire

Exprimer

3. Écoutez l'interview d'Adeline et répondez à ces questions.

a. Êtes-vous d'accord avec les affirmations suivantes ?

- Un coach aide ses clients à réussir leurs transitions.
- Le coaching concerne exclusivement le domaine professionnel.
- Une séance de coaching dure 45 minutes.
- Une séance de coaching coûte entre 50 et 100 €.

b. Citez au moins 2 domaines dans lesquels on peut être coaché.

c. Pourquoi est-il essentiel que le coach pose de bonnes questions ?

4. Réagissez. D'après vous, est-ce que le coaching peut être une solution efficace pour dépasser ses obstacles professionnels ou personnels ? Voudriez-vous consulter un coach ? Pourquoi ?

5. Observez ces verbes au conditionnel (doc. B). Comment se forme le conditionnel ?

→ « ... je n'**oserais** pas prendre d'initiative, je **prendrais** moins de risques, et mon entreprise n'**existerait** pas ! »

→ « ....grâce au coaching : vous **changeriez** de métier... »

PRATIQUER

6. Hypothèses

Conjuguez les verbes suivants au conditionnel.

> **La vie sans Internet**
>
> Il n'y (avoir) ... pas d'ordinateurs, on ne (bavarder) ... pas avec ses amis par tchats mais au café. Au travail, on ne (perdre) ... pas de temps. Le soir, les enfants n' (aller) ... pas sur Facebook, mais ils (lire) ... peut-être des livres. Tout (être) ... très différent.

7. Par groupes de 2 ou 3, répondez aux questions suivantes au conditionnel.

Qu'est-ce que vous feriez sans... : voiture / télévision / téléphone / électricité ?

À VOUS !

8. Créez votre propre entreprise de coaching.

Expliquez dans quel domaine vous travaillez (personnel, professionnel..), à qui votre entreprise s'adresse et l'aide que vous voulez apporter aux gens.

LE CONDITIONNEL

Grammaire

> **Le conditionnel**

Formation : l'infinitif du verbe + les terminaisons de l'imparfait (-ais, -ais, -ait, -ions, -iez, -aient).

⚠ Pour les infinitifs qui se terminent en -e comme « prendre », on supprime le « e ».

Prendre → Je **prendr**ais
Boire → Je **boir**ais
Parler → Tu **parler**ais
Prendre → Il / elle / on **prendr**ait
Finir → Nous **finir**ions
Écrire → Vous **écrir**iez
Écouter → Ils / elles **écouter**aient

⚠ **Exceptions** (identiques à celles du futur)
Être → je serais
Avoir → j'aurais
Faire → je ferais
Aller → j'irais
Voir → je verrais

Vocabulaire

> Oser faire quelque chose = avoir le courage de

> Se lancer dans un projet = commencer un projet

> Traverser une crise

> Fixer / atteindre des objectifs

> Permettre à quelqu'un de faire quelque chose

> Arriver à faire quelque chose = être capable de faire quelque chose

MINUTES SON

Écoutez ces phrases et dites s'il y a une liaison après les lettres t / d / n.

- Elles vivent en Italie et travaillent en France.
- Ils ont un grand appartement et un atelier.
- Le magasin de mon ami ouvre demain après-midi.

⇨ *Voir Cahier d'entraînement U 8*

Travail ou loisir : le bénévolat

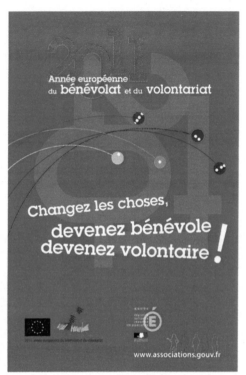

A

Témoignages · Être bénévole...

Marc, 34 ans : visite d'amitié

Il y a un an, j'ai contacté une maison de retraite pour faire du bénévolat, et c'est comme ça que j'ai rencontré Amélie, une dame de 83 ans qui avait peu de compagnie. Une ou deux fois par semaine, nous bavardons, je me promène avec elle dans le parc, je l'emmène la plupart du temps faire ses courses ou au cinéma. Amélie est vraiment attachante et joyeuse. Elle a fait beaucoup de voyages et elle est curieuse de tout : la littérature, la politique, la musique... C'est vraiment très gratifiant de l'aider.

Antoine, 29 ans : c'est gagnant-gagnant !

Pendant une période de chômage, j'ai eu envie d'utiliser mon temps de manière intelligente : servir une cause qui me tient à cœur tout en restant actif. J'ai rencontré une petite association locale de protection de l'environnement. Leur projet associatif était très intéressant mais ils n'avaient aucune visibilité Internet. Comme je suis graphiste, je leur ai créé bénévolement un logo et un site Internet. Et cela m'a permis d'ajouter une ligne à mon CV !

Caroline, 45 ans : être bénévole, ce n'est pas de la charité mais un véritable échange

Métro, boulot, dodo... Je travaillais tout le temps, et je me suis rendue compte que j'avais un désir sincère d'être plus utile à la société. Alors j'ai trouvé une association de soutien scolaire pour les enfants et les adolescents en difficulté. Résultat ? J'enseigne à deux enfants une fois par semaine : Samia 10 ans et Adrien 15 ans. Je les aide à faire leurs devoirs, et je leur donne des cours de maths et de français. C'est vraiment formidable de les encourager et de voir leurs résultats scolaires s'améliorer...

B

REPÉRER

1. Observez les documents.

a. Qui a réalisé le document A ? Dans quel but ?

b. Quel est le point commun entre les documents A et B ?

COMPRENDRE

2. Lisez le document A et relevez les informations suivantes pour chacun des 3 témoignages.

- Le nom de l'association ?
- Le domaine d'action de chaque association (culturel, social, éducatif, environnemental, local...) ?
- Les actions bénévoles de chaque personne ?
- Ce que le bénévolat apporte à chaque bénévole ?

Laquelle de ces trois activités bénévoles vous semble la plus gratifiante ?

3. Écoutez attentivement le témoignage de Gaëlle, qui a monté une association de bénévolat.

a. Trouvez ces informations sur l'association de Gaëlle : le nom de l'association, les domaines d'action, le nombre de bénévoles.

b. À qui s'adresse l'association ? Comment fonctionne l'association ?

c. Citez au moins 2 types d'aides apportées par les bénévoles.

d. Quels moyens Gaëlle a-t-elle utilisés pour monter son association ?

e. Quel est l'impact de l'association sur le quartier ?

Échanger

4. Réagissez.

a. Parmi les types d'actions bénévoles évoquées dans les documents A et B, laquelle voudriez-vous faire ? Pourquoi ?
b. Faites-vous ou avez-vous déjà fait du bénévolat ? Sinon, dans quel type de bénévolat voudriez-vous vous engager ?

PRATIQUER

5. Observez le tableau suivant et complétez le texte avec ces expressions extraites des documents :

la plupart, peu de, aucun(e), certain(e)s, d'autres

Pays européen	% de bénévoles sur la population
Pays-Bas	57 %
Danemark	43 %
Finlande	39 %
Autriche	37 %
Pologne	9 %
Belgique	12 %
France	24 %
Europe	24 %

Source : étude du Parlement européen, juin 2011.

D'après une étude menée par le Parlement européen sur le bénévolat en Europe, (…) pays européens font plus de bénévolat que (…).
(…) des pays de l'Europe du Nord montrent une forte participation au bénévolat. En revanche, dans d'autres pays comme la Pologne ou la Belgique, (…) personnes font du bénévolat.
Une bonne nouvelle : (…) pays européen n'a un score de 0 % de bénévoles !

À VOUS !

6. Par groupe de 3-4, vous créez une association de bénévolat.

Imaginez le nom de votre association, ses actions, ses objectifs, son mode de fonctionnement et un slogan.
Chaque groupe présente son association à la classe.

MINUTES SON

a. Écoutez ces phrases et répétez-les.
b. Comment fait-on pour insister ?

PARLER D'UN GROUPE ET D'UNE ASSOCIATION

Communication

> **Parler de son réseau de connaissances**

- Je suis **affilié(e)** à un réseau social (Facebook) ou à un réseau professionnel (Linkedin)
- J'**élargis** mon réseau / j'utilise mon réseau
- Je **crée** un groupe
- J'utilise le **bouche à oreille**

> **Exprimer une prise de conscience**

J'ai réalisé que / je me suis **aperçu(e)** que / je me suis **rendu(e) compte** que…

> **Décrire une association**

- **Créer / monter** son association
- Notre objectif est de…
- Il s'agit de…
- Nos actions sont **destinées / s'adressent à** tout le monde.

Grammaire

> **Aucun(e) < peu de < certain(e)s / d'autres < la plupart**

Il n'a aucun contact à Paris.

J'ai envoyé plusieurs invitations Facebook, mais je n'ai reçu aucune réponse pour l'instant.

Elle a peu de contacts dans le milieu de l'architecture (= pas beaucoup).

Certains bénévoles préfèrent être dans des associations de quartiers, d'autres préfèrent des associations nationales.

Certaines associations sont déclarées d'utilité publique.

La plupart de mes amis ne font pas de bénévolat (« la plupart » est toujours suivi du pluriel).

Vocabulaire

> Le bénévolat, un(e) bénévole

*Un **bénévole** est une personne qui **fait du bénévolat**.*

> Faire quelque chose **bénévolement**
> Aider quelqu'un à faire quelque chose
> Emmener / amener une personne quelque part
> Emporter / apporter un objet quelque part
> Une maison de retraite

➡ *Voir Cahier d'entraînement U 8*

En 2011, plus de 100 millions d'Européens ont participé à des activités

Action !

Tâche finale

Concours du travail de rêve !
Vous participez au salon du travail de rêve. Imaginez un emploi de rêve et ensuite votez pour le travail idéal le plus original et le plus attirant.

a. Par groupe de 3-4, créez un nouvel emploi idéal qui n'existe pas encore. Définissez entre vous : le descriptif du poste, les responsabilités, les avantages, les conditions de travail, les horaires, les vacances, le lieu de travail, la rémunération, etc.

b. Puis rencontrez les autres groupes. Prenez des notes pour faire des fiches par métier (titre du poste, responsabilités, conditions de travail, avantages...).

c. Une fois les présentations finies, chaque groupe décide quelle idée lui semble la plus originale et la plus attirante. Il explique pourquoi.

d. Mettez en commun avec le reste de la classe et comptez les votes... Que le meilleur emploi idéal gagne !

TACTIQUES

- Faites une description aussi réaliste que possible, donnez des exemples précis pour aider vos partenaires à imaginer le type de conditions de travail, l'ambiance, les avantages…
- Vous devez CONVAINCRE votre groupe, soyez rapide, informatif et bien sûr passionné(e) par votre emploi idéal.
- Échangez et justifiez vos opinions avec les membres de votre groupe.

Préparation au DELF

COMPRÉHENSION ÉCRITE

1 Lisez attentivement cette annonce et dites si les affirmations suivantes sont vraies ou fausses (5 points).

ACCOMPAGNEMENT DES MAL-VOYANTS

DESCRIPTION : ACCOMPAGNER LES DÉFICIENTS VISUELS (AVEUGLES, MAL-VOYANTS...) DANS LEURS ACTIVITÉS QUOTIDIENNES : DÉPLACEMENTS EXTÉRIEURS, VISITES CHEZ LE MÉDECIN, VISITES À DOMICILE (LECTURE, RÉDACTION DE COURRIER, CLASSEMENT), PROMENADES, SORTIES CULTURELLES (MUSÉE, THÉÂTRE, CONCERTS...) OU SPORTIVES (RANDONNÉES).

COMMENTAIRES :
bénévolat très souple, source d'enrichissement réciproque. Le bénévole accepte les missions en fonction de ses goûts et de ses disponibilités.

DISPONIBILITÉS :
minimum 1h30 / semaine.
Vacances scolaires.
Action réalisable le soir ou le week-end.

MAIL :
solidaritemalvoyant@orange.fr

COMPÉTENCES :
sérieux, ponctualité, goût du contact humain.

a. Cette annonce propose un emploi salarié.

c. Le bénévole n'apporte pas d'aide administrative.

b. Les horaires sont adaptables.

d. Les tâches ne sont pas fixes.

2 Lisez cet article de magazine et répondez aux questions (5 points).

Les rurbains* s'éloignent de plus en plus de leurs lieux de travail

Selon une étude de l'INSEE, les Français vivant à l'extérieur des grandes villes (les néoruraux ou rurbains), vivent de plus en plus loin de leurs lieux de travail.

Selon l'INSEE, le temps de transport pour les habitants vivant hors des agglomérations continue d'augmenter : + 12 % de 1994 à 2008. En près de 15 ans, les rurbains, néoruraux et autres habitants des campagnes mettent en moyenne maintenant 38 minutes aller-retour pour aller travailler. Les urbains des grandes villes mettent, eux, 50 minutes mais ce temps reste stable. Bref, les emplois restent concentrés dans les grands centres urbains et les trajets des travailleurs rurbains s'allongent.

Toujours selon l'INSEE, 33 % des habitants des grandes agglomérations se déplacent à pied ou à vélo, 55 % à véhicule à moteur et seulement 12 % en transport en commun. Les ruraux et rurbains utilisent à 19 % la marche à pied ou le vélo, à 76 % les véhicules à moteur et 5 % prennent les transports en commun.

* Un rurbain / un néorural : une personne qui vit à la campagne mais travaille en ville.

a. Dites si les affirmations suivantes sont vraies ou fausses. Justifiez avec une phrase du texte.

- En 2008, les néoruraux passent plus de temps dans les transports qu'en 1994.

- Les urbains mettent plus de temps pour aller au travail en 2008 qu'en 1994.

b. Quel facteur oblige les rurbains à faire les trajets vers la ville ?

c. Les rurbains se déplacent plutôt : en transport en commun / en voiture ou à moto / à vélo ?

d. Les urbains se déplacent majoritairement : en transport en commun / en voiture ou à moto / à vélo ?

PRODUCTION ÉCRITE

3 Vous souhaitez postuler à l'annonce de bénévolat ci-dessus (exercice 1). Répondez pour proposer vos services par mail (150-180 mots) (10 points).

SMARTPHONE : LIBERTÉ CONDITIONNELLE...

Selon une enquête réalisée en 2010, 25 % des Français équipés à titre professionnel utilisent désormais un Smartphone. Gain de temps, sentiment d'autonomie, de liberté et de confort de travail pour certains, véritable pensum et source de stress pour d'autres, les Smartphones ont bouleversé les habitudes de vie. [...]

DÉFINIR LES RÈGLES D'UTILISATION

Le Smartphone est avant tout un outil de travail fourni par l'employeur et doit être considéré comme tel. [...]

Que faire lorsque certains insomniaques vous adressent des mails à 1 heure du matin ? Faut-il y répondre au réveil ?

Comment réagir lorsque son patron nous appelle pendant une réunion ? Doit-on quitter la salle séance tenante ou attendre la fin de notre réunion pour rappeler ?

Que faire lorsqu'un client appelle à 22 heures ?

S'il vous est difficile de modifier les comportements de votre entourage professionnel, vous avez néanmoins la capacité de faire évoluer les vôtres.

Lors d'un séminaire sur la gestion du stress pour managers, tous les participants avouent être stressés par les mails, SMS et appels reçus durant leur temps de repos. Tous sauf un, Bernard. Comment fait-il ? Sa recette est simple : il éteint son portable à partir de 20 heures et ne le rallume que le lendemain à 8 heures. [...]

IDENTIFIER SON INTERLOCUTEUR

Enregistrez dans votre répertoire téléphonique, tous les numéros de vos interlocuteurs professionnels (patrons, collègues, collaborateurs, clients, fournisseurs) de manière à identifier rapidement votre interlocuteur.

Dans le cas d'un numéro inconnu, attendez tout simplement qu'il laisse un message et consultez-le au moment le plus opportun pour vous.

Vous pouvez également associer des sonneries différentes selon vos interlocuteurs.

[...]

Quelles que soient les astuces pour se libérer de l'emprise des Smartphones, la règle numéro 1 consiste à définir et faire connaître vos règles d'utilisation auprès de votre hiérarchie, vos collègues, collaborateurs et clients.

L'équilibre entre vie privée et vie professionnelle repose sur notre capacité à « poser nos limites », tant que celles-ci ne seront pas définies par nos organisations.

Source : www.etre-bien-au-travail.fr/vie-pro-vie-perso/articles/smartphone-liberte-conditionnel.
Francis Boyer, coach, formateur et consultant en innovation sociale, 10/02/11.

> D'après l'article, quel est le paradoxe des nouvelles technologies au travail ?

> D'une manière générale, en milieu privé comme en milieu professionnel, faut-il quelquefois se déconnecter des nouvelles technologies pour se ressourcer ?

> Est-ce que vous vous sentez quelquefois prisonnier des nouvelles technologies (smartphone, ordinateur portable, Facebook, Twitter, etc.) ?

CARNET PRATIQUE

> **Le coaching vu par les entreprises :**
www.vocatis.fr

> **Le bénévolat :**
www.francebenevolat.org

À vendre ! À échanger !

Objectifs

Négocier, parler commerce
Savoir caractériser un objet (les pronoms relatifs)
Exprimer le but

Petits et grands commerces

Le nouveau commerce de proximité

Épicerie, presse, dépôt de pain, de gaz, pressing… « *C'est le tout qui rapporte un peu. Mais il faut savoir gérer et innover pour durer* », commente Yannick Cléon qui vient de céder son fonds de commerce épicerie-bar-essence de Thoury à un jeune couple. Célia et Sylvain Bourillon (25 et 28 ans), désormais patrons de « La Halte de Thoury », ont pour projet de proposer des soirées à thème, mais aussi de créer un club de pétanque et une salle de jeux (billard, vidéo…) à l'étage de leur établissement.

Marie-Thérèse Roulet, la dynamique et conviviale gérante de l'épicerie de la Route de Chambord, applique les mêmes recettes depuis son installation en 1995. « *Lorsque j'ai repris ce commerce, tout était à refaire. J'ai donc joué la carte de la diversification* » explique Marie-Thérèse qui travaille avec son époux Philippe. Nombreux sont les services qu'elle assure tous les jours de la semaine sauf le dimanche : épicerie, presse, tabac, timbres, loto, dépôt de pain (le lundi), gaz, fleurs, pressing, mercerie, photos, télécartes… Bientôt, une nouvelle vitrine devrait lui permettre d'augmenter son chiffre d'affaires grâce aux cadeaux. Positionnée à un emplacement stratégique avec un parking, sa boutique de 90 m² est idéalement placée pour être vue des touristes…

Entreprendre en Loir-et-Cher n° 94, avril 2005

[A]

REPÉRER

1. Observez les documents et répondez aux questions.

a. Quelles courses préférez-vous faire en boutique ? En hypermarché ? En centre commercial ?
Sur le marché ? Par Internet ? Pourquoi ? Expliquez vos choix.

b. D'après vous, quelles sont les principales différences entre un nouveau commerce de proximité rural (doc. A) et un centre commercial (doc. B) ?

c. Connaissez-vous le principe des enchères ? Expliquez.

COMPRENDRE

2. Lisez le document A.

a. Observez cette phrase : « *Il faut savoir gérer et innover pour durer.* »
Qu'est-ce qui est innovant dans les deux commerces présentés ?

b. Qu'est-ce qui est différent par rapport aux commerces de proximité dans votre pays ?

c. Par 2, proposez un service innovant pour un service de proximité et expliquez son fonctionnement.

3. Regardez le document B et répondez aux questions suivantes.

a. Aimez-vous les centres commerciaux ? Pourquoi ?

b. Décrivez le centre commercial idéal selon vous.

4. Écoutez attentivement la discussion entre Stéphanie et Claire. Regardez aussi la vidéo !

a. Première écoute :

- Qu'a acheté Stéphanie et où ?

- Quelles sont les recommandations de Claire ? Et pourquoi ?

b. Écoutez encore :

- Pourquoi Stéphanie considère-t-elle que son achat est une affaire ?

- Qu'est-ce qui fait douter Claire ?

Découvrir

PARLER COMMERCE

Vocabulaire

> **Vendre et acheter**

Les actions
- Marchander
- Échanger, troquer
- Se faire rembourser, obtenir un avoir
- Profiter d'une promo(tion), des soldes (nom féminin), un rabais, une remise
- Faire des affaires ≠ se faire avoir
- Vendre aux enchères, placer une offre, remporter une offre

Les lieux
- Une boutique, une supérette, une grande surface
- Une brocante, un dépôt vente

PRATIQUER

B

5. Jeu de rôles

Par 2, jouez cette scène. Aidez-vous du document audio et de la vidéo.
- A : Vous avez fait l'affaire du siècle et vous l'expliquez à votre ami.
- B : Vous essayez d'expliquer à votre ami enthousiaste que son achat ne lui convient pas du tout et vous lui proposez des solutions.

6. Mon dernier achat

Vous décrivez précisément un achat récent sans le nommer (forme, taille, couleur, utilisation...). Votre voisin doit le deviner.

7. Par 2, lancez-vous dans le commerce !

Vous voulez ouvrir un commerce. Pour cela, vous devez préparer une affiche promotionnelle en expliquant les produits ou services proposés et à quels clients.
Vous présentez votre commerce en expliquant ce qu'il a de différent (voir tableau). Puis vous lui donnez un nom.

Produits ou services vendus	Lieu du commerce	Clients	Offres promotionnelles et uniques
...	...	...	...

> **Combien ça coûte ?**

- C'est cher < c'est hors de prix < ça vaut une petite fortune < ça coûte les yeux de la tête

- Ce n'est vraiment pas cher > je l'ai payé une misère > c'est donné > c'est gratuit

- J'ai fait l'affaire du siècle = j'ai eu ce que je voulais à un tout petit prix

À VOUS !

8. Les enchères

Par groupe de 4, chacun à tour de rôle présente un produit à mettre aux enchères en indiquant la mise à prix. Les autres proposent une offre et tentent de remporter le produit.

MINUTES SON

a. Écoutez les mots et dites si vous entendez le son [s] ou [ʃ].
b. Lisez et répétez : Attention, c'est chaud ce chausson aux seiches séchées.
Sachez qu'il s'achète des chaussettes et des chaussures pas chères.

⟹ *Voir Cahier d'Entraînement U 9*

Échanges de services

L'association SEL (système d'échange local)

▸ **L'entraide à votre porte**
« Échange coupe de cheveux contre babysitting »,
« peinture contre travaux de plomberie... » Les possibilités d'échanges sont nombreuses et chacun
peut y trouver son compte. Le réseau associatif SEL
(système d'échange local) en est un bel exemple.

▸ **Quel est le principe ?**
Recenser des savoir-faire et mettre en relation les
personnes qui les proposent. Un échange gratuit de
services se met ainsi en place.

▸ **Comment participer ?**
Tout d'abord il faut adhérer à l'association. Le coût
est de l'ordre de 10 à 20 euros par an selon les
régions. Vous devrez indiquer sur une fiche les
services proposés (travaux de couture par exemple)
et vos besoins (bon bricoleur par exemple).

En retour on vous remettra un catalogue avec les
cordonnées des adhérents (pour contacter la
personne qui offre le service dont vous avez besoin)
et un carnet comptabilisant vos échanges.

▸ **Comment est fixée la valeur de l'échange ?**
Surtout pas en euros. Pour un échange équitable,
le service est évalué dans une monnaie virtuelle ;
le nom peut changer d'une région à l'autre. Par
exemple : une heure de service = 60 grains. Ainsi
si vous mettez une heure à faire l'ourlet d'un
pantalon vous serez crédité de 60 grains. Si vous
profitez de deux heures de babysitting vous serez
débités de 120 grains. Le but est de donner autant
qu'on reçoit, mais on peut être débiteur un temps
et jusqu'à un certain plafond. Ce système est basé
sur la confiance.

Source : d'après Maxi, octobre 201

REPÉRER

1. **Observez les documents et discutez par 2.**

a. Quels services peut-on échanger ?

b. Et vous, quels services pourriez-vous échanger ?

COMPRENDRE

2. **Lisez le document A.**

a. Quels sont les exemples d'échanges donnés dans le texte ?

b. Quel est le principe de la monnaie virtuelle ?

c. Ce système est basé sur la confiance : pourquoi ?

3. **Observez et écoutez le document B. Puis répondez aux questions.**

a. Première écoute :

- Pourquoi Félix et Claudia ont-ils des problèmes d'argent ?

- Quelle solution propose Manon ?

- Quels savoir-faire ont Félix, Claudia et Manon ?

b. Comment fonctionne le « paiement » dans le troc de service ?

c. Comment Manon a-t-elle utilisé le troc de service ?

4. **Observez ces phrases :**

→ *Vous contactez la personne **qui** offre le service.*

→ *La chambre **que** tu as peinte te rapporte un crédit.*

→ *À l'époque **où** on s'est rencontrés, c'était un troqueur.*

a. Quelles précisions apportent les mots soulignés ?

b. Que remplacent les mots en gras ?

Exprimer ⬅

PRATIQUER

5. Qui / que : formez des phrases comme cet exemple.

→ Personne – habite – connaître – proposer de cuisiner les plats – préférer.

= C'est une personne **qui** habite à côté de chez moi, **que je** connais bien et **qui** propose de cuisiner les plats **que** je préfère...

a. Homme – monter mes meubles – m'appeler deux jours à l'avance – remercier avec du repassage ou de la couture.
b. Une voisine – une voiture 7 places – tu peux appeler de ma part – proposer de t'accompagner à la plage ou pour faire des courses.

6. Décrivez un endroit en utilisant qui, que, où.

→ Bar : C'est un bar **que** je vous recommande, **qui** est très connu, **où** les troqueurs se rencontrent et **où** tous les échanges se font !

- école : ...   - ville : ...   - restaurant : ...
- entreprise : ...   - hôpital : ...   - cinéma : ...

7. J'y vais, j'y suis, j'en viens, j'en veux !

Répondez aux questions suivantes avec ces expressions.
De la plage ? Au centre ville ? En Papouasie ? De Londres ?
Du bout du monde ? À Rome ? De l'argent ? Des cadeaux ?

À VOUS !

8. Troquez votre savoir-faire.

Présentez votre savoir-faire et expliquez ce que vous cherchez.
Puis faites une grande foire aux services !

MINUTES SON

Lisez ces phrases puis écoutez : h muet / h aspiré, faut-il faire la liaison ?
- Nous habitons dans un hôtel.
- D'après les habitants de la région, les hivers sont horribles.

LES PRONOMS RELATIFS

Grammaire

> **Les pronoms relatifs**
- Qui : remplace le sujet.
- Que : remplace le COD (complément d'objet direct).
- Où : remplace le complément de lieu ou de temps.

C'est un appartement *qui* a besoin d'une rénovation.
C'est un plombier *que* je recommande.
C'est une maison *où* on se sent bien.
C'est une journée *où* tout va mal.

> **Les pronoms *y* et *en*** (révision)
- Y : remplace un lieu.
J'y suis, j'y reste. (Y = ici)
Y remplace un complément non humain introduit par « à ».
À Paris ? J'y vais.

- En : remplace un complément non humain introduit par « de la / du / des ».
Des massages ? J'en veux.
De la tarte ? J'en reprends.

> - *Venir de + lieu => j'en viens.*
> - *Être à / au + lieu => j'y suis.*
> - *Aller à / en + lieu => j'y vais.*
> - *Vouloir de / des + nom => j'en veux.*

Vocabulaire

> Échanger / un échange de services
> Le troc / troquer / un(e) troqueur (se)
> Une association, un système associatif
> Local(e) ≠ global(e)
> Un (des) savoir-faire (*mot invariable*)
> Offrir un service / une foire aux services
> Avoir un besoin
> Créditer ≠ débiter un compte
> Des services : la coiffure, la plomberie, le bricolage, la peinture, le jardinage, la promenade de chiens...

⇨ *Voir Cahier d'Entraînement U 9*

Achetons équitable

BIO ? ÉQUITABLE ? ÉTHIQUE ? COMMENT JE M'Y RETROUVE ?

La mode est au développement durable. Désormais on consomme responsable. Parfait ! Chaque étiquette annonce que son produit est éthique, bio, équitable, responsable, vert... mais dans cette jungle des appellations, comment faire pour s'y retrouver ?

> Tout le monde connaît le label bio : il garantit une production sans produits chimiques, pesticides et autres engrais. Tout est naturel : les méthodes de culture ou d'élevage et les différents composants. On trouve des produits alimentaires bio, mais aussi de nombreux produits d'hygiène (savons...) et même des vêtements en fibres naturelles comme le coton ou le lin.

> Le commerce éthique s'intéresse au respect de l'homme et de son environnement. Ainsi, vous êtes certain que le joli tapis éthique de votre salon n'a pas été tissé par des petites filles réduites à l'esclavage et que votre table basse ne provient pas de la destruction de la forêt amazonienne.

> Quant au commerce équitable, comme son nom l'indique, il veut être équitable pour tout le monde : le producteur qui est payé au juste prix, le consommateur qui paye un prix acceptable et le distributeur qui en tire un profit raisonnable. Mais surtout le commerce équitable s'inscrit dans une logique de développement éco-nomique, social et environnemental qui se veut durable. Produire oui, mais pas à n'importe quel prix ni dans n'importe quelle condition ! Enfin, ce label affiche la volonté de renforcer les liens entre les pays du Nord et du Sud.

Est-ce si simple ? Hélas, non ! Car en vérité de nombreux organis-mes publics et privés, reconnus et non reconnus décernent leurs propres labels avec des critères parfois obscurs. Alors que faire pour être consommateur responsable ? Etre patient et prendre le temps de lire les étiquettes...

REPÉRER

1. Observez les documents.

a. Quelles sont les différences entre produits équitables, produits bio et produits éthiques ? Quelles sont les valeurs que ces produits défendent ?

b. Personnellement, achetez-vous des produits équitables ? Lesquels et pourquoi ?

COMPRENDRE

2. Lisez le document A.

Quelles différences y a-t-il entre un produit éthique, biologique (bio) et équitable ?

3. Écoutez les témoignages de Zoé, Magali, Louis et Florent.

a. Qui semble être pour le commerce équitable ? Qui est contre ?

b. Quels sont les arguments en faveur du commerce équitable ? Et en défaveur ?

c. De quelle personne vous sentez-vous le plus proche ?

4. En réutilisant la structure de la publicité pour le chocolat (doc. B), faites votre propre slogan pour un produit de votre choix.

→ *Ce n'est pas parce que... qu'on est obligé de...*

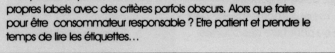

Échanger

Ce n'est pas parce que ce fondant est fait avec du chocolat équitable qu'on est obligé de le partager équitablement.

En choisissant d'acheter les produits portant le label Fairtrade Max Havelaar, vous contribuez directement au développement des producteurs défavorisés des pays du Sud, vous respectez l'environnement... et vous continuez à vous faire plaisir ! Plus d'infos sur **CESTMEILLEUR.FR**

QUAND C'EST ÉQUITABLE, C'EST MEILLEUR POUR TOUT LE MONDE

PRATIQUER

5. Bio ? Éthique ? Équitable ?

Par 2, vous discutez des avantages des produits biologiques (bio) et des produits équitables :
- pour les consommateurs
- pour les producteurs
- pour les commerçants.

À VOUS !

6. Vous souhaitez promouvoir un produit équitable.

Vous organisez une campagne de publicité. Vous présentez le produit, ses conditions de production et l'amélioration que vous envisagez. Vous écrivez un slogan.

MINUTES SON

a. Écoutez ces phrases et répétez-les.

b. Jeu en classe : le premier propose une phrase et chacun doit rajouter un complément. Faites attention à l'accentuation !

EXPRIMER LE BUT

Communication

> **Exprimer le but**

On exprime le but avec l'emploi de *pour* + verbe à l'infinitif.
→ *J'agis pour un but...*
J'achète du café équitable pour aider les producteurs péruviens.

Grammaire

> **Opposition / Mise en relief**

La mise en relief permet de donner plus d'importance à un élément de la phrase.

• Avec un pronom ou un nom :
Je veux te voir. → *C'est toi que je veux voir.*
Je parle à Sabine. → *C'est à Sabine que je parle.*

• Avec un verbe :
L'argent l'intéresse. → *Ce qui l'intéresse, c'est l'argent.*
Je voudrais rentrer chez moi. → *Ce que je voudrais, c'est rentrer chez moi.*

• Il y a des formes plus complexes :
- Forme positive : *C'est bien parce que nous sommes amis que je te rends ce service.*
- Forme négative : *Ce n'est pas parce que c'est équitable que c'est moins cher.*

Vocabulaire

> Le développement durable
> Manger bio, acheter du bio
> Le commerce bio, équitable, éthique
> Équitable = juste / des échanges respectueux de l'environnement et des droits de l'homme
> Éthique = qui concerne la morale
> Le cahier des charges = document qui fixe les modalités d'un projet
> Un label = marque apposée sur un produit pour certifier qu'il a été fabriqué dans les règles et conditions officielles
> Être lésé ≠ être payé au juste prix
> Le producteur, le consommateur, le commerçant
Le commerçant est l'intermédiaire entre le producteur et le consommateur.

→ *Voir Cahier d'Entraînement U 9*

Action !

Tâche finale

Un cadeau pour mon pire ennemi...

a. Vous le détestez, il vous le rend bien. Vous allez lui offrir un cadeau unique et inoubliable. Vous lui choisissez un objet ou un service que vous allez décrire avec le maximum de précision. Expliquez au groupe les raisons de votre choix.

b. En classe, votez pour le meilleur des pires cadeaux !

TACTIQUES

- Décrivez votre cadeau : forme, utilisation, utilité...
- Expliquez votre choix, les raisons de ce cadeau pour votre pire ennemi.
- Réutilisez un maximum d'expressions vues dans l'unité.
- Soyez expressif !

Préparation au DELF

COMPRÉHENSION DES ÉCRITS

1 Lisez cette affiche puis répondez aux questions (12 points).

Vide-grenier à Bordeaux

Informations pour les exposants
Vide-grenier réservé aux particuliers
Inscription à partir du lundi 10 octobre 2012
Tables et chaises fournies
Stands en intérieur et en extérieur
1 stand de 2,5 m = 8 €
2 stands donc 5 m = 14 €

Horaires
Accueil des exposants à partir de 8h
Vente ouverte à tous de 9h à 17h

Inscriptions
· Par courrier (envoyer un courrier avec vos coordonnées, le nombre de stand souhaité, une photocopie de votre pièce d'identité et votre règlement).
· Sur place : au 68, rue de l'horloge - 33000 Bordeaux (10h-12h et 14h-18h). Pas de réservation sans règlement ¡

Modalité d'entrée des visiteurs
Entrée libre

Commentaires
Buvette et restauration sur place
Stands en intérieur et en extérieur

a. Ce vide-grenier est : un spectacle / une exposition / un marché d'occasion ?
b. Les visiteurs payent : 8 à 14 € / rien, c'est gratuit / rien, mais ils doivent réserver ?
c. Vrai ou faux ? Justifiez votre réponse en citant une phrase du texte.

	Vrai	Faux
C'est un salon de professionnels.		
Les exposants s'inscrivent obligatoirement par courrier.		
On peut manger et boire pendant la manifestation.		
Il faut tout apporter.		
On peut faire des affaires en venant à 8 h du matin.		
Il y a des exposants dedans et dehors.		

PRODUCTION ÉCRITE

2 Vous organisez une vente d'occasion au bénéfice de votre association.
Vous envoyez un mail à tous vos amis pour les inviter (8 points).
Indiquez le lieu, la date, les produits vendus, les modalités. N'oubliez pas de rappeler l'activité de votre association et le projet que vous voulez financer (60 à 80 mots).

LES NOUVEAUX MODES DE CONSOMMATION

Avec la crise, fini le règne de la marque. Les Français découvrent de nouveaux modes de consommation qui leur permettent de consommer tout autant en dépensant moins. Panorama des nouveaux modes de consommation.

LES ACHATS GROUPÉS : l'union fait la force !
Les acheteurs se regroupent pour acheter des biens ou des services en plus grande quantité et obtenir de meilleurs prix. Une mise en commun aujourd'hui facilitée par Internet et qu'on retrouve aussi dans les ventes à domicile groupées.

BIENVENUE AU MAGASIN DE MONTAUBAN

LES VENTES PRIVÉES : réservées aux privilégiés !
Ce sont des promotions avant les soldes réservées aux initiés. Mais pour être parmi les heureux élus, il faut souvent être un bon consommateur de la marque !

LES VENTES DIRECTES : les producteurs s'organisent pour toucher directement le client. Panier de légumes de votre région à retirer dans un point vente, épicerie livrée à votre domicile… Un point commun : l'absence d'intermédiaire entre le producteur et le consommateur, donc moins de frais pour chacun.

LE FAIT-MAISON : jamais les magasins de bricolage n'ont été aussi fréquentés. Les Français, bricolent, cuisinent, jardinent… Pour retrouver le plaisir du fait-maison et diminuer ses dépenses.

L'OCCASION : le marché de la voiture d'occasion existe depuis longtemps, mais avec la crise ce sont d'autres secteurs qui se développent : les meubles, les vêtements pour enfants et adultes… D'où le succès croissant des vide-greniers !

LE TROC : je te donne ma planche à voile contre un vélo pliant, un cours de mathématiques contre des étagères montées. Troc d'objets ou de services, une forme d'échange qui se développe via Internet.

LA LOCATION : pourquoi acheter une voiture qu'on utilisera 3 fois par an pour les vacances ? Ou une fontaine à chocolat qui ne servira qu'une fois ? C'est le grand boum des locations. Ne pas se priver, mais ne pas accumuler !

> Et vous, avez-vous les mêmes nouveaux modes de consommation que les Français ? Lesquels ?

> Pourquoi faites-vous ces choix ?

CARNET PRATIQUE

> **Quel consommateur équitable êtes-vous ?**
www.jeconsommeequitable.fr

> **Max Havelaar France**
www.maxhavelaarfrance.com

Arts et culture

Objectifs

Parler d'art et des arts
Exprimer ses goûts
Défendre une opinion, exprimer ses doutes

Artiste vernissage
opinion cuisine GOÛT
doute SCULPTURE
œuvre peinture

Œuvres populaires

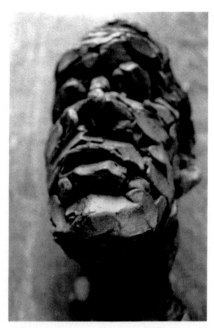

Art brut - Pascal FURMINIEUX

Les Français courent les expositions

Adepte des grandes manifestations, le public se montre de plus en plus curieux et éclectique dans ses choix.

Mieux vaut réserver ! Avec 58 000 visiteurs payants, soit 6 000 personnes par jour depuis fin février, l'exposition Turner au Grand Palais, à Paris, s'annonce comme le grand succès de la saison. Malgré l'arrivée des beaux jours qui d'ordinaire détourne le public, cette manifestation devrait attirer 450 000 personnes d'ici à fin mai. Avec Yves Saint Laurent au Petit Palais et Edvard Munch à la Pinacothèque, Turner est l'une des dix meilleures ventes de la Fnac* au même titre que le match de foot France-Italie, la comédie musicale *Le Roi Lion*, les concerts de Vanessa Paradis et le one-man-show de Gad Elmaleh. C'est dire si les expositions ont la cote. [...]

Plaisir de la visite

« Le succès de toutes ces expositions, c'est un tout, explique Thomas Grenon de la RMN*. Il y a d'abord le choix des œuvres, un travail irréprochable sur le plan scientifique et une belle mise en scène qui participe au plaisir de la visite. » Horaires étendus, réservations facilitées grâce à Internet, restauration agréable... le public revient d'autant plus volontiers qu'il est bien accueilli. « À cela s'ajoute une professionnalisation très importante des institutions culturelles » note Martin Bethenot. Le terme marketing n'est plus un gros mot. « On réfléchit beaucoup plus aux publics qu'on souhaite attirer » constate Marc Merpillat, directeur adjoint du développement et du mécénat au Louvre.

Comme pour les films, la communication, les affiches et les titres sont très travaillés. Notamment envers les femmes (60 % du public) sur qui les musées comptent pour y entraîner les hommes. « Pour Titien, Tintoret, Véronèse, *Rivalités à Venise*, nous avons joué sur le côté thriller qui reflétait le thème de l'exposition mais permettait aussi d'attirer le grand public », sourit Marc Merpillat. Enfin, ce phénomène de masse est aussi dû à la crise. « Nous avons besoin d'évasion, analyse Bruno Monnier. Une belle exposition, c'est une parenthèse éphémère, un voyage apaisant vers la beauté et l'art. »

Source : Le Figaro, lefigaro.fr, rubrique « Culture », publié le 12/03/2010.

* Fnac : grande enseigne culturelle française
* RMN : Réunion des Musées Nationaux

B

REPÉRER

1. Observez les documents.

a. Document A : imaginez que vous venez de visiter l'exposition de cet artiste : quelle est votre réaction ?

b. Comparez vos réactions dans la classe : sont-elles positives, négatives, neutres ? Débattez.

c. À quoi est dû le succès des expositions en France ? En classe, citez chacun une raison que vous avez repérée dans l'article (doc. B).

COMPRENDRE

2. Écoutez les interviews et répondez aux questions. Regardez aussi la vidéo !

a. Classez les arguments des personnes interviewées. Qui va revenir voir l'exposition ?

b. Pourquoi allez-vous voir une exposition ? Par groupe de 3, notez vos raisons.

c. Retrouvez-vous ces raisons dans le texte du document B ?

d. Imaginez les raisons pour lesquelles les personnes interrogées sont allées voir l'exposition ?

Découvrir ⬅

PRATIQUER

3. Observez cette phrase extraite du document audio.

→ *Il faut absolument que je fasse découvrir cette artiste à mes amis.*

a. Il s'agit d'une suggestion ? D'une obligation ? D'un souhait ?

b. Quel est le temps utilisé ?

c. Sur le même modèle et en vous aidant de la leçon, dites ce que vous devez faire :

- Il faut absolument que je (prendre) ... des photos.
- Il faut absolument que nous (aller) ... voir cette exposition.
- Il faut absolument que tu (être) ... là pour le vernissage.
- Il faut absolument que vous (rencontrer l'artiste) ... .

4. Observez cette phrase extraite du document audio.

→ *Vous voulez que je vous dise ?*

a. Ce verbe exprime la volonté ? La condition ? La possibilité ?

b. Quel est le temps utilisé ?

c. Sur le même modèle et en vous aidant de la leçon, dites ce que vous voulez :

- Je veux que tu (venir) ... me voir.
- Il veut que nous (choisir) ... des artistes et que nous (organiser) ... une expo.
- Tu veux que je (peindre) ... un tableau pour ton anniversaire.
- Il veut qu'on (aller) ... le voir.

5. Vocabulaire des arts

Placer les mots dans les bonnes colonnes. Attention, certains peuvent se placer dans plusieurs colonnes.

Auteur - pièce - œuvre - première - tableau - comédien - pinceau - artiste - cliché - vernissage - tirage.

Peinture	Sculpture	Photographie	Théatre	Cinéma

À VOUS !

6. Vous voulez organiser une manifestation artistique dans votre ville. Dans un courrier au maire, vous la présentez et vous expliquez pourquoi vous pensez que c'est une bonne idée pour la réputation de la ville.

MINUTES SON

a. Dites si les paires de mots que vous entendez sont identiques ou différentes.

b. Lisez et répétez : L'art brut est loin d'attirer les foules.

PARLER D'ART

Vocabulaire

> L'art / une(e) artiste

> Un(e) comédien, un acteur - une actrice / une pièce de théâtre

> Un(e) photographe / un cliché, une photographie

> Peindre / un(e) peintre / un pinceau

> Avoir la cote = être en vogue, à la mode

> Une œuvre

> Une expo, une exposition

> Un vernissage

> Une manifestation artistique

> Être éclectique = aimer plusieurs styles, ne pas être exclusif dans ses goûts

> Le mécénat = un parrainage, une sponsorisation

> Un phénomène de masse

> Une parenthèse éphémère = un court moment

> Apaisant = reposant, qui calme

> Être attiré(e) par, être intéressé(e) par

Communication

> **Exprimer le souhait, la volonté (avec le subjonctif)**

Après les verbes de souhait et de volonté, on utilise le subjonctif :

Je veux / je voudrais que + subjonctif

J'aimerais que / je souhaiterais que + subjonctif

Il est préférable / souhaitable que + subjonctif

> **Exprimer une possibilité (avec le subjonctif)**

Il est possible que + subjonctif

⚠ Formation du subjonctif

Le verbe au présent à la 3ᵉ personne du pluriel (ils / elles) + les terminaisons :

-e, -es, -e, -ions, -iez, -ent.

➡ *Voir Cahier d'entraînement U 10*

Des goûts, mais sans couleur

Que voudriez-vous manger pour votre anniversaire ?

Lise	J'aimerais que mon gâteau d'anniversaire soit une énorme mousse au chocolat.
Aurélie	Je souhaiterais que ma mère me fasse un couscous à partager avec toute ma famille et mes amis.
Vincent	Pour mon anniversaire peu importe, je souhaiterais surtout que tous mes amis puissent venir.

Quel aliment détestez-vous le plus et pourquoi ?

Julie	Je déteste les huitres ! C'est visqueux, gluant et d'une couleur répugnante. Et en plus ça se mange vivant ! Rien que d'y penser, j'en ai des hauts le cœur. Oui vraiment, ça me dégoute !
Clément	Ce que je trouve vraiment infect ce sont les abats, ris de veau, le foie, les rognons, la cervelle d'agneau. Des viandes informes à la consistance molle. Pour moi ce sont de mauvais souvenirs de cantine.
Marion	Sans conteste le camembert ! Cette odeur nauséabonde de pourriture, c'est dégueulasse. Vous aimez, vous ?
Simon	Ce que je n'aime pas ? Moi en fait, je n'aime pas les crudités, mais bon, si je suis invité, je peux faire un effort. Sinon, c'est l'ail que je trouve horripilant : son odeur, son goût, vraiment ça me révulse.

REPÉRER

1. Observez les documents.

a. On y mange... Classez ces lieux du plus décontracté au plus chic (attention certains peuvent être équivalents) : *cafétéria - cantine – cantoche - restau – bistrot - restaurant – cafète – self.*

b. Allez-vous souvent au restaurant ? À quelle occasion ?

c. Regardez le document B : à votre avis, qu'est-ce-que c'est ? Qu'y mange-t-on ? Faites des hypothèses.

COMPRENDRE

2. Écoutez cette conversation entre amis et répondez aux questions (document B).

a. Combien y a-t-il de personnes ? Où veulent-elles aller ? Pourquoi ?

b. Quels sont les arguments pour et contre les différents lieux proposés ?

c. Quelles sont les particularités du lieu choisi ? Quels sont les conseils donnés ?

3. Dans le document A, quels sont les mots qui se rapportent :

- à la vue   - au toucher, à la consistance   - à l'odeur ?

La gastronomie française appartient au patrimoine culturel mondial

Exprimer

LE SUBJONCTIF

Grammaire

> **Le subjonctif**

Formation :

Le radical de la 3ᵉ personne du pluriel (ils / elles) au présent + les terminaisons :

-e, -es, -e, -ions, -iez, -ent.

Que j'aime
Que tu aimes
Qu'il / elle / on aime
Que nous aimions
Que vous aimiez
Qu'ils / elles aiment

⚠ Exceptions

- Être → que je sois / sois / soit / soyons / soyez / soient

- Avoir → que j'aie / aies / ait / ayons / ayez / aient

- Aller → que j'aille / ailles / aille / allions / alliez / aillent

- Faire → que je fasse / fasses / fasse / fassions / fassiez / fassent

- Savoir → que je sache / saches / sache / sachions / sachiez / sachent

- Pouvoir → que je puisse / puisses / puisse / puissions / puissiez / puissent

- Vouloir → que je veuille / veuilles / veuille / voulions / vouliez / veuillent

Vocabulaire

> Les 5 sens : l'ouïe (entendre), la vue (voir), l'odorat (sentir), le goût (goûter), le toucher (toucher)

> Un goût ≠ un dégoût

> Dégoûter = révulser = horripiler

> Visqueux = gluant

> Répugnant(e), infect(e), dégueulasse *(familier)*

> Créer un restaurant = monter un restaurant

4. Document A : avez-vous des aliments préférés ? Lesquels ? Qu'aimeriez-vous comme menu pour votre anniversaire ?

PRATIQUER

5. Faites des hypothèses sur le restaurant que vous aimeriez créer... Complétez les phrases en mettant les verbes au subjonctif.

> **Si je montais un restaurant...**
> - J'aimerais que le personnel (avoir) ... une tenue originale.
> - Je voudrais que les clients (pouvoir) ... connaître le restaurant rapidement.
> - Je souhaiterais que la carte (être) ... simple mais bonne.
> - Je voudrais que la concurrence (faire) ... des cauchemars de mon succès.

À VOUS !

6. Vous détestez un aliment ou un plat. Vous le décrivez et vous expliquez pourquoi. Vous faites appel à vos différents sens (l'ouïe, le toucher, la vue, l'odorat, le goût).

MINUTES SON

Redoublement vocalique : qu'entendez-vous ?

- L'an dernier, j'ai été / j'étais en Australie.

- J'ai évité / j'évitais une catastrophe.

- J'ai étudié / j'étudiais le latin à l'université.

⇨ *Voir Cahier d'entraînement* U 10

Une âme d'artiste...

REPÉRER

1. Observez les documents A et B.

a. Êtes-vous plutôt art contemporain ou classique ? Pourquoi ?

b. D'après vous, quel est le titre qui conviendrait le mieux à chaque document ?

- C'est vraiment de l'art ?   - Combien ça coûte ?   - L'art à en mourir
- En vacances, la plage vaut mieux que les musées   - Vernissage   - ..... (Faites une proposition)

COMPRENDRE

2. Document A : écoutez l'extrait de la pièce *Art* de Yasmina Reza.

a. Qui sont les deux hommes ? De quoi parlent-ils ? Ont-ils la même opinion ?

b. Que pensez-vous de l'opinion des 2 hommes (doc. A) ?

3. Document B : quel est le problème de Célia ? Est-ce que c'est grave ? Fréquent ? Qu'en pensez-vous ?

4. Quels points communs trouvez-vous entre Célia et Serge, le personnage d'*Art* ?

PRATIQUER

5. Doute et opinion

Par paire répondez aux questions suivantes en exprimant le doute ou la certitude.

a. Feriez-vous n'importe quoi pour obtenir une œuvre d'art qui vous plaît ?

b. Pourriez-vous avoir le syndrome de Stendhal ?

c. Aimeriez-vous rencontrer un artiste célèbre ?

d. À votre avis, une autre forme d'art (musique, théâtre...) pourrait-elle provoquer
les mêmes effets que le syndrome de Stendhal ?

Échanger

B

Souffrir d'art...

Célia, trentenaire sportive, se rend à Florence pour la première fois. Alors qu'elle regarde la Vénus de Botticelli au musée des Offices, la voilà soudain saisie, devant tant de beauté, d'un malaise intense : son pouls s'accélère, sa vision se brouille, elle est prise de vertiges et s'évanouit. Abus de spaghetti à la bolognaise dans la cité florentine ? Non, elle vient d'être victime du très célèbre et étrange **syndrome de Stendhal**. Si l'on sait depuis longtemps que l'on peut mourir d'amour, on a découvert depuis plus d'un siècle que l'excès d'art peut faire souffrir ceux qui s'y exposent trop fortement. Décrit pour la première fois en 1817 par le grand auteur français Stendhal, lors de son voyage en Italie, ce mal atteint chaque année des dizaines de touristes qui sont soumis à une profusion d'art que leur trop grande sensibilité n'arrive plus à gérer. Ainsi Stendhal raconte : « *J'étais arrivé à ce point d'émotion où se rencontrent les sensations célestes données par les Beaux Arts et les sentiments passionnés. En sortant de Santa Croce, j'avais un battement de cœur, la vie était épuisée chez moi, je marchais avec la crainte de tomber.* »

La psychiatre Graziella Magherini, exerçant à Florence s'est penchée sur ce curieux phénomène et dans un livre raconte comment elle a observé au cours de ses consultations plus d'une centaine de cas. Les manifestations sont toujours semblables à celles de Célia. Dans quelques cas, heureusement rarissimes, cette émotion peut entraîner des gestes irraisonnés comme la tentative de destruction de l'œuvre...

Rassurez-vous, ce syndrome est relativement rare et comme l'a souligné la psychiatre, il n'atteint que très peu de cas chaque année. Seuls sont touchés les touristes ayant une excellente connaissance culturelle du lieu qu'ils visitent. Cependant, les natifs semblent immunisés : ils baignent depuis leur naissance dans cet environnement...

Et vous, êtes-vous susceptible de contracter le syndrome de Stendhal ?

À VOUS !

6. Défendre ses goûts, exprimer un désaccord
Par 2, jouez la scène : vous visitez une exposition avec un(e) ami(e). Vous n'avez pas du tout le même avis. Décrivez l'œuvre et essayez de le/la convaincre.
Utilisez un maximum de tournures négatives exprimant la certitude (*tu ne vas pas me dire que..., tu ne vois pas que...*) ou le doute (*je ne suis pas sûr que..., je ne crois pas que...*).

OPINION ET DOUTE

Communication

> **Affirmer son opinion**
- Je trouve que
- Je suis certain(e) que
- Je suis persuadé(e)
- Je suis sûr(e)
- Je pense / je crois que

> **Exprimer des doutes**
- Je ne crois pas que
- Je ne pense pas que
- Je ne suis pas sûr(e) que   } + subjonctif
- Je ne suis pas certain(e) que

*Je ne crois pas que cet artiste **soit** très connu...*

Vocabulaire

> Un vernissage d'une œuvre
> Apprécier ≠ détester
> Un(e) artiste reconnu(e)
> Un tableau
> Une sculpture
> Rarissime = très rare
> Profusion = une grande quantité
> Une émotion
> Une inspiration
> Une sensation
> Une fascination
> Être susceptible de

MINUTES SON

a. Écoutez les phrases. S'agit-il d'une question ou d'une exclamation de surprise ?
b. Écoutez et répétez ces exclamations de surprise :
- Non mais quand même !   - Ce n'est pas possible !
- Ça alors !   - Toi, ici !

⇨ *Voir Cahier d'entraînement U 10*

Tâche finale

Vous organisez une exposition de jeunes artistes étudiants.

Par groupe de deux ou trois, présentez deux œuvres que vous imaginez :

- décrivez les œuvres ;
- expliquez à qui elles s'adressent ;
- préparez les textes d'accompagnement de ces œuvres.

TACTIQUES

- Faites des gribouillis sur une feuille de papier, mais imaginez que vous présentez la future Mona Lisa. Jouez à fond !
- Imaginez un style révolutionnaire !
- N'hésitez pas à trouver l'inspiration de l'œuvre dans des objets / personnes / idées inattendus (il trouve l'inspiration chez son facteur, dans les bouteilles de jus de fruits…).

Préparation au DELF

COMPRÉHENSION ORALE

1 Écoutez attentivement l'extrait radiophonique et répondez aux questions (10 points).

a. Cet extrait radio parle :
- de la météo ;
- du tourisme à Berlin ;
- du dépistage de l'autisme ;
- d'une exposition ?

b. Quel est le titre de l'émission ?

c. À quel numéro de téléphone les auditeurs pourront-ils appeler ?

d. Dites si les affirmations suivantes sont vraies ou fausses et justifiez la réponse :

	Vrai	Faux
Zoé Schmitt est présente dans le studio.		
Zoé Schmitt est une peintre qui expose des peintures de lapins.		
Zoé Schmitt expose son œuvre à l'étranger.		
La parole cachée est un lieu d'exposition en ville.		
En ville on trouve plusieurs sculptures de Zoé Schmitt.		

PRODUCTION ORALE

2 Une œuvre artistique (film, livre, peinture...) vous a touché tout particulièrement. Vous la présentez et vous expliquez où et quand vous l'avez vu(e), et pourquoi elle vous touche (10 points).

ET PLUS ...

Fresque NEMO

« Les murs murés sont atroces... Ce n'est pas drôle de vivre dans un quartier comme ça. Pourquoi ne pas permettre de peindre ces murs, le temps que dure la rénovation, ou ... jusqu'à la destruction ? » NEMO n'a rien d'un dangereux anarchiste. De tous les artistes qui protestent contre la destruction de Paris, c'est de loin le plus rangé : frôlant la cinquantaine, NEMO exerce la profession d'informaticien-ingénieur, il travaille dans une grande administration et mène la vie d'un bourgeois tranquille - à ceci près qu'il a une passion : le pochoir !

Il faut le voir raconter, avec la gourmandise de quelqu'un qui se souvient d'un bon petit plat ou d'une bouteille exceptionnelle, comment il vient de bomber une surface parfaite, rue des Cascades ou rue de l'Ermitage !

Ses personnages, un homme en noir, jouant avec un fusil, une canne à pêche ou un parapluie, et le petit NEMO (du « Little Nemo » de Winsor McCay) hantent les murs du XXe*: ils apparaissent soudain, au détour d'une rue, sur un mur lépreux, sur une porte condamnée ou une fenêtre murée, créant une étonnante atmosphère de poésie et de rêve dans cet arrondissement qui est en train d'être massacré : « Je reste dans le XXe, j'ai beaucoup de mal à franchir le boulevard... j'habite le quartier depuis 20 ans, je connais par cœur Ménilmontant, la travailleuse et Belleville, le quartier du commerce et de l'amusement : après avoir travaillé à Ménilmontant, on allait boire et jouer aux boules à Belleville et faire la fête dans ses cabarets et ses théâtres ». NEMO a commencé à bomber il y a 14 ans son petit personnage avec des animaux, des tigres, des oiseaux, des ballons, un peu n'importe où, sur les murs des écoles et ailleurs.

Source : http://www.chris-kutschera.com/Nemo.htm, mars 1996.

*XXe = arrondissement de Paris

> Qui est NEMO ? Où vit-il ? Que fait-il ? Pourquoi ?

> Que pensez-vous de ce type de réalisation ? Est-ce de l'art ?

> Y a-t-il dans votre ville des artistes muraux ? Que font-ils ?

CARNET PRATIQUE

> **Visiter quelques grands musées en ligne :**
http://www.louvre.fr/
http://www.courtauld.ac.uk/gallery/languages/fr/index.shtml
http://www.chateauversailles.fr/homepage

> **Des sites consacrés aux artistes muraux de Paris :**
http://mesnagerjerome.free.fr/
http://www.moskoetassocies.fr/
http://www.missticinparis.com/
http://space.invaders.paris.free.fr/

Précis phonétique

▬ DU SON À L'ÉCRITURE

on entend	on écrit	exemples
[a]	a – à – e – â	bagages – à – femme – théâtre
[ə]	e – ai – on	chemise – faisais – monsieur
[e]	é – ai – ei	étudiant – mairie – peiner
[ɛ]	è – ê – ai – ei	mère – fenêtre – maison – reine
[œ]	eu – œu – œ	heure – sœur – œil
[ø]	eu – œu	deux – vœux
[i]	i – î – y – ï	lire – dîner – recycler – Saïd
[ɔ]	o – oo – u	école – alcool – maximum
[o]	o – ô – au – eau	dos – drôle – restaurant – chapeau
[y]	u – û	nul – sûr
[u]	ou – où – aoû	rouge – où – août
[ɛ̃]	in – im – ain – aim – ein yn – ym – un – um en – (i)en	fin – simple – copain – faim – peinture syntaxe – sympa – brun – parfum examen – bien
[ã]	an – am – en – em	orange – lampe – enfant – temps
[ɔ̃]	on – om	bon – nom
[j]	i – y i + l ou i + ll	hier – yeux travail – travaille
[w]	ou – oi – w	oui – moi – week-end
[ɥ]	u (+ i)	lui
[b]	b	bonjour
[d]	d	date
[f]	f – ph	finir – photo
[g]	g – gu	gare – dialogue
[k]	c – k – qu – ch	café – kilo – qui – chorale
[l]	l	lire
[m]	m	madame
[n]	n	nord
[ɲ]	gn	gagner
[p]	p – b (+ s)	page – absent
[ʀ]	r	rire
[s]	s – ss – c – ç – t (+ -ion)	salut – adresse – centre – garçon – natation
[z]	z – s – x	magazine – rose – sixième
[ʃ]	ch – sh – sch	chocolat – shampoing – schéma
[ʒ]	g – ge – j	imagine – mangeons – jaune
[t]	t – th	terre – thé
[v]	v – w	vite – wagon
[ks]	cc – xc – x	accepter – excellent – expliquer
[gz]	x	exemple

Précis phonétique

PRONONCIATION : LES VOYELLES

[i] ex : jol**i**		langue très en avant		bouche souriante, presque fermée
[y] ex : sal**u**t		langue très en avant		bouche presque fermée, arrondie
[e] ex : **é**tude		langue en avant		bouche peu ouverte
[ɛ] ex : f**ai**re		langue en avant		bouche ouverte
[a] ex : l**a**		langue en avant		bouche très ouverte
[ə] ex : l**e**		langue en avant		bouche peu ouverte
[œ] ex : n**eu**f		langue en avant		bouche ouverte, arrondie
[ø] ex : bl**eu**		langue très en avant		bouche un peu ouverte, arrondie
[ɔ] ex : p**o**mme		langue un peu en arrière		bouche ouverte, arrondie
[o] ex : m**o**t		langue en arrière		bouche ouverte, très arrondie
[u] ex : j**ou**r		langue très en arrière		bouche peu ouverte, très arrondie
[ɛ̃] ex : v**in**		langue en avant		bouche ouverte, souriante
[ã] ex : d**an**s		langue un peu en arrière		bouche très ouverte, arrondie
[ɔ̃] ex : p**on**t		langue en arrière		bouche peu ouverte, très arrondie

Précis grammatical

AUTOUR DU NOM

1. Les articles

a. Les indéfinis

On utilise les articles indéfinis quand on parle de quelque chose ou de quelqu'un pour la première fois.

→ **un** garçon, **une** fille, **des** garçons, **des** filles

b. Les définis

On utilise les articles définis quand on parle de quelque chose ou de quelqu'un qu'on connaît déjà.

→ **le** garçon, **la** fille, **l'**élève, **les** garçons, **les** filles

c. Les partitifs

On utilise les articles partitifs pour parler de quantités qu'on ne peut pas compter ou qu'on ne veut pas préciser.

→ **du** papier, **de la** lumière, **des** déchets

 Devant une voyelle ou un « h », **du** et **de la** deviennent **de l'** :
→ **de l'**eau
À la forme négative, **du, de la, des, de l'** deviennent **de** :
→ Il n'y a pas **de** lumière.

2. Les adjectifs possessifs

On accorde les adjectifs possessifs en genre et en nombre avec le nom qui suit, c'est-à-dire avec « l'objet » possédé. On les accorde aussi en fonction du « possesseur ».

	Une chose possédée		Plusieurs choses possédées	
Un seul possesseur	masculin	féminin	masculin	féminin
Je	→ **Mon** sac	→ **Ma** ville / **Mon** amie	→ **Mes** amis	→ **Mes** amies
Tu	→ **Ton** sac	→ **Ta** ville / **Ton** amie	→ **Tes** amis	→ **Tes** amies
Il/Elle	→ **Son** sac	→ **Sa** ville / **Son** amie	→ **Ses** amis	→ **Ses** amies
Plusieurs possesseurs	masculin	féminin	masculin	féminin
Nous	→ **Notre** collège	→ **Notre** classe	→ **Nos** professeurs	→ **Nos** affaires
Vous	→ **Votre** collège	→ **Votre** classe	→ **Vos** professeurs	→ **Vos** affaires
Ils/elles	→ **Leur** collège	→ **Leur** classe	→ **Leurs** professeurs	→ **Leurs** affaires

3. Les pronoms

Ils servent à éviter les répétitions.

a. Les pronoms compléments (COD et COI)

• **Le, la, les, l' / lui, leur**

Les pronoms compléments remplacent un nom précédé par un article défini (le, la, les, l'), un adjectif possessif (mon, ton, son...) ou un adjectif démonstratif (ce, cet, cette).

→ J'écoute <u>la radio</u>. → Je **l'**écoute.

Les pronoms COI de la 3e personne (lui et leur) représentent toujours des personnes.

Ils sont compléments d'un verbe suivi de la préposition **à**.

→ J'apporte un cadeau <u>à mes amis</u>. Je **leur** apporte un cadeau.

	Singulier	Pluriel
Masculin	**le** → *Je vois le ciel.* → *Je **le** vois.* **l'** + verbe commençant par une voyelle → *Il achète le journal.* → *Il **l'**achète.*	**les** → *Ils vendent les billets du concert.* → *Ils **les** vendent.* → *Je range mes affaires.* → *Je **les** range.*
Féminin	**la** → *Elles regardent la télévision.* → *Elles **la** regardent.* **l'** + verbe commençant par une voyelle → *J'aime cette voiture.* → *Je **l'**aime.*	

- **En**

en remplace un nom précédé par un article partitif (*de, du, de la, de l'* ou *des*) ou un article indéfini (*un, une, des*).

→ *Vous avez de la monnaie ?* → *Oui, j'**en** ai.*
   Tu viens de chez eux ? → *Oui, j'**en** viens.*

- **Y**

y remplace un complément précédé par **à** ou **au**.

→ *Il vit au Maroc depuis longtemps ?* → *Oui, il **y** vit depuis 10 ans.*

 Le pronom complément est toujours placé avant le verbe, sauf à l'impératif affirmatif.
   → *Je fais mes courses* → *Je **les** fais.* → *Fais-**les**.*
   → *Je fais de la natation.* → *J'**en** fais.* → *Fais-**en**.*
   → *Vous allez à la piscine.* → *Vous **y** allez.* → *Allez-**y**.*

b. Les pronoms relatifs

Les pronoms relatifs servent à relier deux phrases pour n'en faire qu'une.
Ils peuvent remplacer une personne ou une chose (un objet, un être inanimé).

- **Qui**

Le pronom relatif **qui** a une fonction de sujet. Il remplace un être animé ou inanimé.

→ *Prends le mode d'emploi ! Il est sur la table.*
   *Prends le mode d'emploi **qui** est sur la table.*

- **Que**

Le pronom relatif **que** a une fonction de complément d'objet direct (COD).

→ *Je remplace une personne. Cette personne est en congé de maternité.*
   *La personne **que** je remplace est en congé de maternité.*

 Devant une voyelle, **que** deviennent **qu'** :
   → *Le roman **qu'**écrit Valentine est inspiré de faits réels.*

- Où

Le pronom relatif **où** a une fonction de complément de lieu.

→ *Il vit au Canada, dans une région francophone.*
   *La région **où** il vit est francophone.*

Le pronom relatif **où** remplace une indication de temps et est aussi un complément de temps.

→ *2003, c'est l'année **où** j'ai obtenu mon diplôme.*

AUTOUR DU VERBE

1. Les verbes pronominaux

→ *Je **me** lève*
   *Tu **te** lèves*
   *Il/Elle/On **se** lève*
   *Nous **nous** levons*
   *Vous **vous** levez*
   *Ils/Elles **se** lèvent*

2. L'impératif

a. Emploi

On l'utilise pour :
- donner un ordre ;
- exprimer une interdiction ;
- donner un conseil ;
- donner une indication.

→ ***Regardez** ! Ne **partez** pas trop tard ! Ne **t'inquiète** pas !*

b. Formation

On forme l'impératif comme le présent mais attention, à la 2ᵉ personne du singulier, on supprime le « s »
pour les verbes du 1ᵉʳ groupe et certains du 3ᵉ groupe comme *ouvrir, offrir...*
L'impératif n'a que 3 personnes et pas de pronom sujet.

→ *Regarde. Regardons. Regardez.*

À l'impératif, le pronom complément se place après le verbe : *Prends-**en** ! Crois-**moi** !*
Sauf à l'impératif négatif : *Ne **le** regarde pas !*

3. Le passé récent

a. Emploi
On l'utilise pour parler d'une action passée, proche du présent.

→ *Je **viens de** manger.*

b. Formation
On forme le passé récent avec : **venir** au présent + **de** (**d'** + voyelle) + infinitif

→ *Il **vient de** partir à la gare.*

4. Le futur proche

a. Emploi

On l'utilise pour parler d'une action future, proche du présent.

→ *Je **vais faire** la vaisselle.*

b. Formation

On forme le futur proche avec : **aller** au présent + **infinitif**.

→ *Nous **allons dormir**.*

5. Le futur simple

a. Emploi

On utilise le futur simple pour parler de projets.

→ *On **ira** sans doute à Paris pour les 30 ans de mon mari.*

b. Formation

•   **Pour les verbes en −er et −ir, on forme le futur avec :** <u>infinitif</u> du verbe + **terminaisons**.

→ *Je <u>visiter</u>**ai***
    *Tu <u>visiter</u>**as***
    *Il/Elle/On <u>visiter</u>**a***
    *Nous <u>visiter</u>**ons***
    *Vous <u>visiter</u>**ez***
    *Ils/Elles <u>visiter</u>**ont***

•   **Pour les verbes en −re :** radical du verbe + **terminaisons**.

→ *Je <u>prendr</u>**ai**, tu <u>prendr</u>**as***

> **Attention aux verbes irréguliers :**
> - Avoir → j'aurai, tu auras, il aura…
> - Être → je serai, tu seras, il sera…
> - Faire → je ferai, tu feras, il fera…
> - Pouvoir → je pourrai, tu pourras, il pourra…
> - Aller → j'irai, tu iras, il ira…
> - Voir → je verrai, tu verras, il verra…
> - Savoir → je saurai, tu sauras, il saura…
> - Vouloir → je voudrai, tu voudras, il voudra…
> - Venir → je viendrai, tu viendras, il viendra…

6. Le passé composé

a. Emploi

On l'utilise pour parler d'un événement passé.

→ *J'**ai mangé** une pomme.*

b. Formation

On forme le passé composé avec : **avoir** ou **être** au présent + **participe passé.**

→ *J'ai parlé*	*Je suis allé(e)*
Tu as parlé	*Tu es allé(e)*
Il/Elle/On a parlé	*Il/Elle/On est allé(e)*
Nous avons parlé	*Nous sommes allé(e)s*
Vous avez parlé	*Vous êtes allé(e)(s)*
Ils/ Elles ont parlé	*Ils/ Elles sont allé(e)s*

Le plus souvent, on utilise **avoir** pour conjuguer au passé composé,
mais les verbes suivants se conjuguent toujours avec **être** :

aller, venir, arriver, partir, entrer, tomber, naître, mourir, rester, tomber, devenir.

→ *Mes amis **sont arrivés** hier.*

Les verbes suivants se conjuguent avec **être** ou **avoir** suivant leur sens :
sortir, monter, descendre, passer, rentrer retourner
→ *Pierre **est passé** au bureau.*
   *Léa m'**a passé** un roman.*

Quelques participes passés :

Verbes en −ER	
participe passé en **é** →	parl**é**, mang**é**, commenc**é**, all**é**...

Verbes en −IR	
participe passé en **i** →	fin**i**, grand**i**, part**i**...

⚠ sauf :

offrir → off**ert**   ouvrir → ouv**ert**

découvrir → découv**ert**   mourir → m**ort**

souffrir → souff**ert**

Autres verbes		
répondre → répond**u**	écrire → écr**it**	faire → fa**it**
entendre → entend**u**	prendre → pr**is**	savoir → s**u**
voir → v**u**	mettre → m**is**	pouvoir → p**u**
connaître → conn**u**	naître → n**é**	vouloir → voul**u**
croire → cr**u**	être → **été**	lire → l**u**
dire → d**it**	avoir → **eu**	venir → ven**u**
	rendre → rend**u**	courir → cour**u**

c. L'accord du participe passé

Quand le verbe se conjugue avec **être**, on accorde le participe passé avec le sujet.
→ *Ma sœur est arrivé**e**.*

Quand le verbe est conjugué avec **avoir**, on n'accorde jamais avec le sujet.
On accorde avec le complément d'objet (COD) s'il est placé avant le verbe, sinon on ne fait pas l'accord.
→ *J'ai oublié tes clés.* (Pas d'accord)
   *Mes clés ? Je les ai oubli**ées**.* (Accord)

Le COD peut être un pronom personnel (*le, la, l', les, nous, vous, m', t'*) :
→ *La lettre ? Je l'ai envoyé**e**.*

Ou il peut être un pronom relatif (*que, qu'*) :
→ *Les personnes, **que** tu as rencontr**ées** chez moi, habitent Brest.*

7. L'imparfait

a. Emploi

On l'utilise pour faire une description dans le passé.
→ *C'**était** l'été, il **faisait** chaud, il y **avait** du monde.*

b. Formation

On forme l'imparfait avec : <u>radical</u> de la 1re personne du pluriel du présent + **terminaisons**.
→ *Prendre : nous <u>prenons</u> → <u>pren</u>*
  *Je <u>pren</u>**ais***
  *Tu <u>pren</u>**ais***
  *Il/Elle/On <u>pren</u>**ait***
  *Nous <u>pren</u>**ions***
  *Vous <u>pren</u>**iez***
  *Ils/Elles <u>pren</u>**aient***

 Seul le verbe **être** est irrégulier → j'étais, tu étais, il était, nous étions, vous étiez, ils étaient.

8. Le conditionnel

a. Emploi

On l'utilise pour exprimer :
- une demande polie :
→ *Je **voudrais** un café, s'il vous plaît.*
- un souhait ou un projet lointain ou de réalisation incertaine :
→ *J'**aimerais** partir en vacances.*
- une hypothèse :
→ *Si je gagnais au loto, je **voyagerais** et j'**arrêterais** de travailler.*

b. Formation

On forme le conditionnel avec : <u>radical</u> du futur + **terminaisons** de l'imparfait.
→ *Vouloir : nous <u>voudrions</u> → <u>voudr</u>*
  *Je <u>voudr</u>**ais***
  *Tu <u>voudr</u>**ais***
  *Il/Elle/On <u>voudr</u>**ait***
  *Nous <u>voudr</u>**ions***
  *Vous <u>voudr</u>**iez***
  *Ils/Elles <u>voudr</u>**aient***

9. Le subjonctif présent

a. Emploi

On l'utilise pour exprimer :
- une obligation ou un devoir avec **il faut que** :
→ *<u>Il faut **que**</u> vous soyez à la gare avant 8h00.*
- le but avec **pour que** :
→ *Donne-lui un plan **pour qu'il puisse** trouver l'adresse.*
- un doute avec les verbes d'opinion à la forme négative :
→ *je <u>ne crois pas / je ne pense pas / je ne suis pas certain(e)</u> qu'il **aille au cinéma ce soir.***

b. Formation

On forme le conditionnel avec : <u>radical</u> du présent à la 3e personne du pluriel du présent + **-e, -es, -e, -ions, -iez, -ent.**

→ *Partir : <u>part</u>ent → <u>part</u>*

*Que je <u>part</u>**e***

*Que tu <u>part</u>**es***

*Qu'il/elle/on <u>part</u>**e***

*Que nous <u>part</u>**ions***

*Que vous <u>part</u>**iez***

*Qu'ils/elles <u>part</u>**ent***

Attention aux verbes irréguliers :

- Avoir → que j'aie, tu aie, il/elle ait...
- Être → que je sois, tu sois, il/elle soit...
- Faire → que je fasse, tu fasses, il/elle fasse...
- Pouvoir → que je puisse, tu puisses, il/elle puisse...
- Aller → que j'aille, tu ailles, il/elle aille...
- Voir → que je voie, tu voies, il/elle voie...
- Savoir → que je sache, tu saches, il/elle/on sache...

LA PHRASE

1. La phrase négative

a. Aux temps simples

Sujet + **ne** + verbe + **plus / jamais / rien / personne.**

→ *Je **n'**aime **pas** le rap !*

*Il **n'**a **jamais** parlé à Paul.*

*Léon **n'**aime **rien**.*

*Gary **n'**a vu **personne**.*

b. Au passé composé

Sujet + **ne** + être ou avoir + **plus / jamais / rien** + participe passé.

→ *Je **ne** suis **pas** allé au concert.*

*Nous **n'**avons **rien** dit.*

Attention à l'exception, au passé composé, **personne** se place après le participe passé.

→ *Je **n'**ai vu **personne**, hier soir, au karaoké.*

2. La phrase interrogative

Il existe plusieurs façons de poser des questions.

- **L'intonation montante :**
→ *Tu as vu le film hier ?*

- **Est-ce que :**
→ ***Est-ce que** tu as vu le film hier ?*

- **Interrogatif** + verbe + sujet ou **interrogatif** + **est-ce que :**
→ ***Comment** est-elle montée ? = **Comment est-ce qu'**elle est montée ?*

Précis grammatical

LA LOCALISATION

1. Localisation dans l'espace

Il y a de nombreuses expressions de localisation :

dans, entre, devant, derrière, à gauche, à droite, côté de, en face de...

*Il est **devant** le cube.*

*Il est **derrière** le cube.*

*Il est **à côté** du cube.*

2. Localisation dans le temps

Lundi 12 octobre	Samedi 17 octobre	Dimanche 18 octobre	Lundi 19 octobre	Mardi 20 octobre	Mercredi 21 octobre	Lundi 26 octobre
Il y a une semaine / La semaine **dernière**	**Avant-hier**	**Hier**	**Aujourd'hui**	**Demain**	**Après-demain**	La semaine **prochaine** / **Dans** une semaine

LA CAUSE ET LA CONSÉQUENCE

1. La cause

Pour exprimer la cause, on peut utiliser :

- **Parce que**
→ *Les gens polluent **parce qu'**ils ne font pas attention.*

- **À cause de** + nom ou pronom tonique
→ *Les gorilles disparaissent **à cause de la** déforestation.*
   *Les dauphins risquent de disparaître. C'est **à cause de** nous !*

	+ nom masculin	+ nom féminin	+ nom pluriel
à cause de	→ à cause **du** : → *La neige fond **à cause du** réchauffement climatique.*	→ à cause **de la** : → *Les ours polaires sont en danger **à cause de la** fonte de la banquise.*	→ à cause **des** : → *les forêts diminuent **à cause des** incendies.*
	⚠ Quand le nom commence par une voyelle cela devient : à cause **d'**. → *C'est **à cause d'**elle.*		

2. La conséquence

Pour exprimer la conséquence, on peut utiliser **donc** ou **c'est pour ça que**.

→ *Nos déchets s'accumulent, il faut **donc** les recycler !*

→ *Notre planète est maltraitée, **c'est pour ça que** nous devons la protéger !*

LA COMPARAISON

· Comparer avec un adjectif

plus			
moins	adjectif	**que/qu'**	→ *La France est **plus** petite **que** l'Argentine.*
autant			

· Comparer avec un nom

plus				
moins	**de/d'**	nom	**que/qu'**	→ *La tour Jin Mao a **autant** d'étages **que** les tours Petronas.*
autant				

· Comparer avec un verbe

	plus que/qu'	
verbe	**moins que/qu'**	→ *Paul travaille **moins que** Cécile.*
	autant que/qu'	

  Attention aux verbes irréguliers :

● bon → **meilleur**

→ *Nathalie est **meilleure que** Simon en natation.*

● bien → **mieux**

→ *Héloise dessine **mieux que** les autres.*

● mauvais → **pire** ou **plus mauvais(e)**

→ *Ce résultat est **pire que** le précédent.*

Conjugaison

	Présent	Impératif	Passé composé	Imparfait	Futur
AVOIR	J'ai Tu as Il/Elle/On a Nous avons Vous avez Ils/Elles ont	Aie Ayons Ayez	J'ai eu Tu as eu Il/Elle/On a eu Nous avons eu Vous avez eu Ils/Elles ont eu	J'avais Tu avais Il/Elle/On avait Nous avions Vous aviez Ils/Elles avaient	J'aurai Tu auras Il/Elle/On aura Nous aurons Vous aurez Ils/Elles auront
ÊTRE	Je suis Tu es Il/Elle/On est Nous sommes Vous êtes Ils/Elles sont	Sois Soyons Soyez	J'ai été Tu as été Il/Elle/On a été Nous avons été Vous avez été Ils/Elles ont été	J'étais Tu étais Il/Elle/On était Nous étions Vous étiez Ils/Elles étaient	Je serai Tu seras Il/Elle/On sera Nous serons Vous serez Ils/Elles seront
ALLER	Je vais Tu vas Il/Elle/On va Nous allons Vous allez Ils/Elles vont	Va Allons Allez	Je suis allé(e) Tu es allé(e) Il/Elle/On est allé(e) Nous sommes allé(e)s Vous êtes allé(e)(s) Ils/Elles sont allé(e)s	J'allais Tu allais Il/Elle/On allait Nous allions Vous alliez Ils/Elles allaient	J'irai Tu iras Il/Elle/On ira Nous irons Vous irez Ils/Elles iront
FAIRE	Je fais Tu fais Il/Elle/On fait Nous faisons Vous faites Ils/Elles font	Fais Faisons Faites	J'ai fait Tu as fait Il/Elle/On a fait Nous avons fait Vous avez fait Ils/Elles ont fait	Je faisais Tu faisais Il/Elle/On faisait Nous faisions Vous faisiez Ils/Elles faisaient	Je ferai Tu feras Il/Elle/On fera Nous ferons Vous ferez Ils/Elles feront
VERBES EN –ER VISITER	Je visite Tu visites Il/Elle/On visite Nous visitons Vous visitez Ils/Elles visitent	Visite Visitons Visitez	J'ai visité Tu as visité Il/Elle/On a visité Nous avons visité Vous avez visité Ils/Elles ont visité	Je visitais Tu visitais Il/Elle/On visitait Nous visitions Vous visitiez Ils/Elles visitaient	Je visiterai Tu visiteras Il/Elle/On visitera Nous visiterons Vous visiterez Ils/Elles visiteront
S'INTÉRESSER	Je m'intéresse Tu t'intéresses Il/Elle/On s'intéresse Nous nous intéressons Vous vous intéressez Ils/Elles s'intéressent	Intéresse-toi Intéressons-nous Intéressez-vous	Je me suis intéressé(e) Tu t'es intéressé(e) Il/Elle/On s'est intéressé(e) Nous nous sommes intéressé(e)s Vous vous êtes intéressé(e)(s) Ils/Elles se sont intéressé(e)s	Je m'intéressais Tu t'intéressais Il/Elle/On s'intéressait Nous nous intéressions Vous vous intéressiez Ils/Elles s'intéressaient	Je m'intéresserai Tu t'intéresseras Il/Elle/On s'intéressera Nous nous intéresserons Vous vous intéresserez Ils/Elles s'intéresseront

	VERBES EN -CER MENACER	VERBES EN -GER PROTÉGER	VERBES EN -ETER JETER	VERBES EN –ÉRER PRÉFÉRER	VERBES EN -YER ENVOYER
Présent	Je menace Tu menaces Il/Elle/On menace Nous menaçons Vous menacez Ils/Elles menacent	Je protège Tu protèges Il/Elle/On protège Nous protégeons Vous protégez Ils/Elles protègent	Je jette Tu jettes Il/Elle/On jette Nous jetons Vous jetez Ils/Elles jettent	Je préfère Tu préfères Il/Elle/On préfère Nous préférons Vous préférez Ils/Elles préfèrent	J'envoie Tu envoies Il/Elle/On envoie Nous envoyons Vous envoyez Ils/Elles envoient

	Présent	Impératif	Passé composé	Imparfait	Futur
VERBES RÉGULIERS EN –IR / CHOISIR	Je choisis Tu choisis Il/Elle/On choisit Nous choisissons Vous choisissez Ils/Elles choisissent	Choisis Choisissons Choisissez	J'ai choisi Tu as choisi Il/Elle/On a choisi Nous avons choisi Vous avez choisi Ils/Elles ont choisi	Je choisissais Tu choisissais Il/Elle/On choisissait Nous choisissions Vous choisissiez Ils/Elles choisissaient	Je choisirai Tu choisiras Il/Elle/On choisira Nous choisirons Vous choisirez Ils/Elles choisiront
DORMIR	Je dors Tu dors Il/Elle/On dort Nous dormons Vous dormez Ils/Elles dorment	Dors Dormons Dormez	J'ai dormi Tu as dormi Il/Elle/On a dormi Nous avons dormi Vous avez dormi Ils/Elles ont dormi	Je dormais Tu dormais Il/Elle/On dormait Nous dormions Vous dormiez Ils/Elles dormaient	Je dormirai Tu dormiras Il/Elle/On dormira Nous dormirons Vous dormirez Ils/Elles dormiront
PARTIR	Je pars Tu pars Il/Elle/On part Nous partons Vous partez Ils/Elles partent	Pars Partons Partez	Je suis parti(e) Tu es parti(e) Il/Elle/On est parti(e) Nous sommes parti(e)s Vous êtes parti(e)(s) Ils/Elles sont parti(e)s	Je partais Tu partais Il/Elle/On partait Nous partions Vous partiez Ils/Elles partaient	Je partirai Tu partiras Il/Elle/On partira Nous partirons Vous partirez Ils/Elles partiront
VENIR	Je viens Tu viens Il/Elle/On vient Nous venons Vous venez Ils/Elles viennent	Viens Venons Venez	Je suis venu(e) Tu es venu(e) Il/Elle/On est venu(e) Nous sommes venu(e)s Vous êtes venu(e)(s) Ils/Elles sont venu(e)s	Je venais Tu venais Il/Elle/On venait Nous venions Vous veniez Ils/Elles venaient	Je viendrai Tu viendras Il/Elle/On viendra Nous viendrons Vous viendrez Ils/Elles viendront
POUVOIR	Je peux Tu peux Il/Elle/On peut Nous pouvons Vous pouvez Ils/Elles peuvent		J'ai pu Tu as pu Il/Elle/On a pu Nous avons pu Vous avez pu Ils/Elles ont pu	Je pouvais Tu pouvais Il/Elle/On pouvait Nous pouvions Vous pouviez Ils/Elles pouvaient	Je pourrai Tu pourras Il/Elle/On pourra Nous pourrons Vous pourrez Ils/Elles pourront
VOIR	Je vois Tu vois Il/Elle/On voit Nous voyons Vous voyez Ils/Elles voient	Vois Voyons Voyez	J'ai vu Tu as vu Il/Elle/On a vu Nous avons vu Vous avez vu Ils/Elles ont vu	Je voyais Tu voyais Il/Elle/On voyait Nous voyions Vous voyiez Ils/Elles voyaient	Je verrai Tu verras Il/Elle/On verra Nous verrons Vous verrez Ils/Elles verront
VOULOIR	Je veux Tu veux Il/Elle/On veut Nous voulons Vous voulez Ils/Elles veulent	 Veuillez	J'ai voulu Tu as voulu Il/Elle/On a voulu Nous avons voulu Vous avez voulu Ils/Elles ont voulu	Je voulais Tu voulais Il/Elle/On voulait Nous voulions Vous vouliez Ils/Elles voulaient	Je voudrai Tu voudras Il/Elle/On voudra Nous voudrons Vous voudrez Ils/Elles voudront

Conjugaison

	Présent	Impératif	Passé composé	Imparfait	Futur
FALLOIR	Il faut		Il a fallu	Il fallait	Il faudra
APPRENDRE	J'apprends Tu apprends Il/Elle/On apprend Nous apprenons Vous apprenez Ils/Elles apprennent	Apprends Apprenons Apprenez	J'ai appris Tu as appris Il/Elle/On a appris Nous avons appris Vous avez appris Ils/Elles ont appris	J'apprenais Tu apprenais Il/Elle/On apprenait Nous apprenions Vous appreniez Ils/Elles apprenaient	J'apprendrai Tu apprendras Il/Elle/On apprendra Nous apprendrons Vous apprendrez Ils/Elles apprendront
BOIRE	Je bois Tu bois Il/Elle/On boit Nous buvons Vous buvez Ils/Elles boivent	Bois Buvons Buvez	J'ai bu Tu as bu Il/Elle/On a bu Nous avons bu Vous avez bu Ils/Elles ont bu	Je buvais Tu buvais Il/Elle/On buvait Nous buvions Vous buviez Ils/Elles buvaient	Je boirai Tu boiras Il/Elle/On boira Nous boirons Vous boirez Ils/Elles boiront
DESCENDRE	Je descends Tu descends Il/Elle/On descend Nous descendons Vous descendez Ils/Elles descendent	Descends Descendons Descendez	Je suis descendu(e) Tu es descendu(e) Il/Elle/On est descendu(e) Nous sommes descendu(e)s Vous êtes descendu(e)(s) Ils/Elles sont descendu(e)s	Je descendais Tu descendais Il/Elle/On descendait Nous descendions Vous descendiez Ils/Elles descendaient	Je descendrai Tu descendras Il/Elle/On descendra Nous descendrons Vous descendrez Ils/Elles descendront
DIRE	Je dis Tu dis Il/Elle/On dit Nous disons Vous dites Ils/Elles disent	Dis Disons Dites	J'ai dit Tu as dit Il/Elle/On a dit Nous avons dit Vous avez dit Ils/Elles ont dit	Je disais Tu disais Il/Elle/On disait Nous disions Vous disiez Ils/Elles disaient	Je dirai Tu diras Il/Elle/On dira Nous dirons Vous direz Ils/Elles diront
ÉCRIRE	J'écris Tu écris Il/Elle/On écrit Nous écrivons Vous écrivez Ils/Elles écrivent	Écris Écrivons Écrivez	J'ai écrit Tu as écrit Il/Elle/On a écrit Nous avons écrit Vous avez écrit Ils/Elles ont écrit	J'écrivais Tu écrivais Il/Elle/On écrivait Nous écrivions Vous écriviez Ils/Elles écrivaient	J'écrirai Tu écriras Il/Elle/On écrira Nous écrirons Vous écrirez Ils/Elles écriront
ÉTEINDRE	J'éteins Tu éteins Il/Elle/On éteint Nous éteignons Vous éteignez Ils/Elles éteignent	Éteins Éteignons Éteignez	J'ai éteint Tu as éteint Il/Elle/On a éteint Nous avons éteint Vous avez éteint Ils/Elles ont éteint	J'éteignais Tu éteignais Il/Elle/On éteignait Nous éteignions Vous éteigniez Ils/Elles éteignaient	J'éteindrai Tu éteindras Il/Elle/On éteindra Nous éteindrons Vous éteindrez Ils/Elles éteindront

	Présent	Impératif	Passé composé	Imparfait	Futur
LIRE	Je lis		J'ai lu	Je lisais	Je lirai
	Tu lis	Lis	Tu as lu	Tu lisais	Tu liras
	Il/Elle/On lit		Il/Elle/On a lu	Il/Elle/On lisait	Il/Elle/On lira
	Nous lisons	Lisons	Nous avons lu	Nous lisions	Nous lirons
	Vous lisez	Lisez	Vous avez lu	Vous lisiez	Vous lirez
	Ils/Elles lisent		Ils/Elles ont lu	Ils/Elles lisaient	Ils/Elles liront
METTRE	Je mets		J'ai mis	Je mettais	Je mettrai
	Tu mets	Mets	Tu as mis	Tu mettais	Tu mettras
	Il/Elle/On met		Il/Elle/On a mis	Il/Elle/On mettait	Il/Elle/On mettra
	Nous mettons	Mettons	Nous avons mis	Nous mettions	Nous mettrons
	Vous mettez	Mettez	Vous avez mis	Vous mettiez	Vous mettrez
	Ils/Elles mettent		Ils/Elles ont mis	Ils/Elles mettaient	Ils/Elles mettront
RÉPONDRE	Je réponds		J'ai répondu	Je répondais	Je répondrai
	Tu réponds	Réponds	Tu as répondu	Tu répondais	Tu répondras
	Il/Elle/On répond		Il/Elle/On a répondu	Il/Elle/On répondait	Il/Elle/On répondra
	Nous répondons	Répondons	Nous avons répondu	Nous répondions	Nous répondrons
	Vous répondez	Répondez	Vous avez répondu	Vous répondiez	Vous répondrez
	Ils/Elles répondent		Ils/Elles ont répondu	Ils/Elles répondaient	Ils/Elles répondront
SUIVRE	Je suis		J'ai suivi	Je suivais	Je suivrai
	Tu suis	Suis	Tu as suivi	Tu suivais	Tu suivras
	Il/Elle/On suit		Il/Elle/On a suivi	Il/Elle/On suivait	Il/Elle/On suivra
	Nous suivons	Suivons	Nous avons suivi	Nous suivions	Nous suivrons
	Vous suivez	Suivez	Vous avez suivi	Vous suiviez	Vous suivrez
	Ils/Elles suivent		Ils/Elles ont suivi	Ils/Elles suivaient	Ils/Elles suivront
VIVRE	Je vis		J'ai vécu	Je vivais	Je vivrai
	Tu vis	Vis	Tu as vécu	Tu vivais	Tu vivras
	Il/Elle/On vit		Il/Elle/On a vécu	Il/Elle/On vivait	Il/Elle/On vivra
	Nous vivons	Vivons	Nous avons vécu	Nous vivions	Nous vivrons
	Vous vivez	Vivez	Vous avez vécu	Vous viviez	Vous vivrez
	Ils/Elles vivent		Ils/Elles ont vécu	Ils/Elles vivaient	Ils/Elles vivront

Lexique

Mot français	ANGLAIS	ESPAGNOL	PORTUGAIS	CHINOIS	ARABE
Abuser, v.	to abuse / to misuse / to fool, v.	abusar, v.	abusar, v.	滥用	أفرط في
accueillant(e), a.	welcoming / hospitable, a.	acogedor(a), a.	acolhedor(a), a.	殷勤的，好客的	مُرحّب
affaire, n. f.	affair / case, n.	asunto, n. m.	processo, n. m.	事情	قضية
affinité, n. f.	affinity, n.	afinidad, n. f.	afinidade, n. f.	意气相投	انسجام
affreux(-euse), a.	hideous / dreadful, a.	horrible, a.	horrível, a.	可怕的，可憎的	شنيع(ة)
aléatoire, a.	unpredictable / random, a.	aleatorio(a), a.	aleatório, a.	偶然的，侥幸的	عشوائي
allumer, v.	to light / to switch on, v.	encender, v.	acender, v.	点燃，点亮	أشْعَلَ
ambiance, n. f.	atmosphere / ambiance, n.	ambiente, n. m.	ambiente, n. m.	气氛，氛围	جو عام
ambitieux, a.	ambitious, a.	ambicioso(a), a.	ambicioso(a), a.	野心勃勃的	طموح
améliorer, v.	to improve, v.	mejorar, v.	melhorar, v.	改善，改进	حَسّنَ
âme-sœur, n. f.	kindred spirit / soul mate, n. f.	alma gemela, n. f.	alma gémea, n. f.	灵魂伴侣	النصف الآخر
amoureux(-euse), a.	loving, a.	enamorado(a), a.	apaixonado(a), a.	钟情的，爱恋的	مُغْرَم(ة) بـ
anecdote, n. f.	anecdote, n.	anécdota, n. f.	anedota, n. f.	轶事，趣闻	طُرْفة
anxiété, n. f.	anxiety, n.	ansiedad, n. f.	ansiedade, n. f.	焦虑，忧虑	قَلَق
apaisant, a.	soothing / calming, a.	tranquilizador, a.	calmante, a.	使平静的，使平息的	مُهَدّئ
apprécier, v.	to like / to appreciate, v.	apreciar, v.	apreciar, v.	欣赏	أعجب بـ
arnaque, n. f.	swindle / rip off, n.	estafa, n. f.	roubo, n. m.	欺骗	احتيال
artisan, n. m.	craftsman, n.	artesano, n. m.	artesão, n. m.	手工业者，工匠	حرفيّ
assouplissement, n. m.	softening, n.	flexibilidad, n. f.	amaciamento, n. m.	放宽；变得柔软	تخفيف
Balade, n. f.	walk / ride / drive, n.	paseo, n. m.	passeio, n. m.	闲逛，漫游	نزهة
bénéfique, a.	beneficial, a.	benéfico(a), a.	benéfico(a), a.	有益的	مُفيدٌ
bénévole, n. m.	volunteer, n.	voluntario, n. m.	benévolo, n. m.	志愿者，义工	متطوع
bien-être, n. m.	well-being / welfare, n.	bienestar, n. m.	bem-estar, n. m.	舒适，安逸	رفاهية
bienfait, n. m	good deed / benefit, n.	favor, n. m.	benefício, n. m.	善行；益处	نَفْع
boîte, n. f.	box / tin / can, n.	caja, n. f.	caixa, n. f.	盒子	علبة
bosser, v.	to work, v.	currar, v.	trabalhar, v.	工作，干活	عَمِلَ
bouche à oreille, n. m.	word of mouth, n.	boca a boca, n. m.	boca em boca, n. m.	秘密；口碑	شفوياً
boulot, n. m.	work / job, n.	curro, n. m.	trabalho, n. m.	工作	عَمَلٌ
boutique, n. f.	shop / boutique, n.	tienda, n. f.	loja, n. f.	店铺	متجر
bricoler, v.	to do DIY / to tinker, v.	hacer bricolaje, v.	fazer bricolagem, v.	在家修弄弄；改装	تصليح يدوي
brocante, n. f.	bric-a-brac / second hand goods, n.	tienda de antigüedades, n. f.	velharia, n. f.	古玩市场	سوق المخرودات
Candidature, n. f.	application / candidacy, n.	candidatura, n. f.	candidatura, n. f.	候选人资格	ترشُّح (منصب)
capacité, n. f.	ability / capacity, n.	capacidad, n. f.	capacidade, n. f.	能力，才干	قُدْرَة
carrière, n. f.	career, n.	carrera, n. f.	carreira, n. f.	职业，生涯	مسيرة مهنية
catastrophe, n. f.	disaster / catastrophe, n.	catástrofe, n. f.	catástrofe, n. f.	灾难	كارثة
cauchemar, n. m.	nightmare, n.	pesadilla, n. f.	pesadelo, n. m.	恶梦	كابوس
certitude, n. m.	certainty, n.	certeza, n. f.	certeza, n. f.	确定	يقين
chaleureux (-euse), a.	warm / friendly, a.	caluroso(a), a.	caloroso(a), a.	热烈的，热情的	متحمس(ة)
charismatique, a.	charismatic, a.	carismático(a), a.	carismático(a), a.	上帝恩赐的	كاريزماتي
chômage, n. m.	unemployment, n.	paro, n. m.	desemprego, n. m.	失业	بطالة
combattre, v.	to fight, v.	combatir, v.	combater, v.	战斗；作斗争	كافَحَ
comportement, n. m.	behaviour / conduct, n.	comportamiento, n. m.	comportamento, n. m.	行为；性能	سلوك
concert, n. m.	concert, n.	concierto, n. m.	concerto, n. m.	音乐会	حَفْلَة
concret, a.	concrete / tangible, a.	concreto, a.	concreto, a.	具体的	ملموس
conflit, n. m.	conflict / dispute, n.	conflicto, n. m.	conflito, n. m.	冲突，争端	صراع
consacrer, v.	to devote / to dedicate, v.	dedicar, v.	consagrar, v.	奉献	كَرّس لـ
consulter, v.	to consult / to view, v.	consultar, v.	consultar, v.	咨询；查看	استشار
contrat, n. m.	contract / agreement, n.	contrato, n. m.	contrato, n. m.	合同	عَقْدٌ
couche d'ozone, n. f.	ozone layer, n.	capa de ozono, n. f.	camada do ozono, n. f.	臭氧层	طبقة الأوزون
coup de foudre, n. m.	love at first sight, n.	flechazo, n. m.	relâmpago, n. m.	晴天霹雳，一见倾心	صاعقة
courbature, n. f.	stiffness / ache, n.	agujetas, n. f.pl.	aguamento, n. m.	疲劳，酸痛	إرهاق عضلي
Dans la lune, n.	head in the clouds, n.	en la luna, n.	na lua, n.	走神，胡思乱想	شارد الذهن

Mot français	ANGLAIS	ESPAGNOL	PORTUGAIS	CHINOIS	ARABE
décevant(e), a.	disappointing, a.	decepcionante, a.	decepcionante, a.	令人失望的	مُخيَب
déchet, n.m.	waste / rubbish, n.	desecho, n.m.	resíduo, n.m.	废品，废料	نفاية
décision, n.f.	decision, n.	decisión, n.f.	decisão, n.f.	决定，决心	قرار
déclencher, v.	to start / to trigger, v.	desencadenar, v.	activar, v.	开动，发动	أطلق، شغّل (آلة)
décontracté(e), a.	relaxed / casual, a.	relajado(a), a.	descontraído(a), a.	轻松的，放松的	مُسترخٍ
déçu(e), a.	disappointed, a.	decepcionado(a), a.	decepcionado(a), a.	失望的，未实现的	خاب ظنه(ظنها)
dégoûter, v.	to disgust, v.	asquear, v.	enjoar, v.	使厌烦，使恶心	اشمئز (من)
délicieux(-euse), a.	delicious, a.	delicioso(a), a.	delicioso(a), a.	可口的，美味的	لذيذ
dénicher, v.	to track down / to discover, v.	descubrir, v.	encontrar, v.	从鸟巢中套取；赶出	كشف عن
dépaysant, a.	exotic / disorientating / other-worldly, a.	desconcertante, a.	desorientado, a.	使不自在，使不习惯	يُشعر بالغربة
déranger, v.	to disturb / to upset, v.	molestar, v.	perturbar, v.	打扰	أزعج
désir, n.m.	desire, n.	deseo, n.m.	desejo, n.m.	愿望；欲望	شهوة
diplôme, n.m.	certificate / diploma / degree, n.	diploma, n.m.	diploma, n.m.	文凭，证书	شهادة (دراسة)
discipliné(e), a.	disciplined / chastised, a.	disciplinado(a), a.	disciplina, a.	纪律；学科	اختصاص
disponible, a.	available, a.	disponible, a.	disponível, a.	空闲的，不受约束的	متوفر
dossier, n.m.	file / case, n.	expediente, n.m.	dossier, n.m.	案卷，档案	ملف
draguer, v.	to chat up, v.	ligar, v.	engatar, v.	勾引；疏导	عاكس (فتاة)
durable, a.	durable / sustainable, a.	durable, a.	durável, a.	持久的，长期的	مستدام
Endroit, n.m.	place, n.	sitio, n.m.	lugar, n.m.	地方	مكان
entraîner, v.	to lead (to) / to result (in), v.	acarrear, v.	treinar, v.	训练；招致	درّب، جرّ (معه)
envie, n.f.	desire / urge, n.	ganas, n.f.pl.	vontade, n.f.	羡慕，渴望	رغبة
épanouissant(e), a.	fulfilling, a.	satisfactorio(a), a.	deslumbrante, a.	使人充分发展的	مُفرح
espèce, n.f.	kind / species, n.	especie, n.f.	espécie, n.f.	品种	نوع
estimer, v.	to estimate / to assess / to think highly of, v.	valorar, v.	avaliar, v.	估计，评估	قدّر
éthique, n.f.	ethics / morality, n.	ética, n.f.	ética, n.f.	伦理的，道德的	أخلاقيات
étiquette, n.f.	label / etiquette, n.	etiqueta, n.f.	etiqueta, n.f.	标签	ملصقة
étirement, n.m.	stretching, n.	estiramiento, n.m.	alongamento, n.m.	伸长，延伸	تمديد
évaluer, v.	to assess / to evaluate, v.	evaluar, v.	avaliar, v.	评估，估计	قيّم
exaspérer, v.	to exasperate, v.	exasperar, v.	exasperar, v.	激怒，惹怒	أغاظ
Farfelu(e), a.	odd / bizarre, a.	estrafalario(a), a.	trapalhão (trapalhona), a.	离奇的，古怪的	غريب(ة)
favoriser, v.	to favour / to support, v.	favorecer, v.	favorecer, v.	优待；照顾	شجّع
festival, n.m.	festival, n.	festival, n.m.	festival, n.m.	联欢会；会演	مهرجان
financer, v.	to finance / to fund, v.	financiar, v.	financiar, v.	资助	موّل
flexible, a.	flexible, a.	flexible, a.	flexível, a.	灵活的，柔顺的	مرِن
forfait, n.m.	fixed price / season ticket, n.	crimen, n.m.	preço com tudo, n.m.	承包；承包契约	اشتراك
formel, a.	formal / strict, a.	formal, a.	formal, a.	正式的，表面的	قاطع، شكلي
foule, n.f.	crowd, n.	muchedumbre, n.f.	multidão, n.m.	人群	حشدْ
Galerie, n.f.	gallery / corridor / shopping centre, n.	galería, n.f.	galeria, n.f.	画廊，长廊	قاعة عرض
gaz à effet de serre, n.m.	greenhouse gas, n.	gas de efecto invernadero, n.m.	gás com efeito de estufa, n.f.	温室气体	غاز دفيئ
gêner, v.	to disturb / to bother / to embarrass, v.	molestar, v.	perturbar, v.	束缚；使不方便	أقلق
généreux(-euse), a.	generous, a.	generoso(a), a.	generoso(a), a.	慷慨的，大方的	كريم(ة)
geste, n.m.	movement / gesture / act, n.	gesto, n.m.	gesto, n.m.	手势；行为	حركة
Habitat, n.m.	habitat / housing, n.	hábitat, n.m.	habitat, n.m.	居住；住宅	مسكن
hébergement, n.m.	accommodation / housing, n.	alojamiento, n.m.	alojamento, n.m.	留宿，接待	إيواء
hiérarchie, n.f.	hierarchy, n.	jerarquía, n.f.	hierarquia, n.f.	等级，等级制度	تراتبية
hygiène, n.f.	hygiene / health, n.	higiene, n.f.	higiene, n.f.	卫生；卫生学	نظافة
Idiot(e), a.	idiotic / foolish, a.	idiota, a.	idiota, a.	傻的，愚蠢的	غبي(ة)
impliqué(e), a.	implicated / involved, a.	involucrado(a), a.	implicado(a), a.	牵连在内的，...	مشارك(ة) (في)
impromptu(e), a.	impromptu / sudden, a.	improvisado(a), a.	improviso(a), a.	无准备的，临时安排的	مُفاجئ(ة)
incident, n.m.	incident / accident, n.	incidente, n.m.	incidente, n.m.	事故；事端	حادثة
infect, a.	revolting / horrible, a.	asqueroso, a.	infecto, a.	发出恶臭的；坏透的	منتن
innover, v.	to innovate / to break new ground, v.	innovar, v.	inovar, v.	革新；改革	ابتكر

Lexique

Mot français	ANGLAIS	ESPAGNOL	PORTUGAIS	CHINOIS	ARABE
interlocuteur, n. m.	contact / correspondent, n.	interlocutor, n. m.	interlocutor, n. m.	对话者；谈判对象	مُحاوِر
interrompre, v.	to interrupt, v.	interrumpir, v.	interromper, v.	使中断，中止	أوقف
Jeter, v.	to throw / to dispose of, v.	lanzar, v.	deitar fora, v.	投；抛弃	رمى
Label, n. m.	seal of approval / label, n.	etiqueta, n. f.	nome, n. m.	标记，标签	علامة (تجارية)
liaison, n. f.	link / connection / attachment, n.	unión, n. f.	ligação, n. f.	联系，联络	اتصال، علاقة (عاطفية)
lieu, n. m.	place, n.	lugar, n. m.	lugar, n. m.	场所；场合	مكان
livraison, n. f.	delivery, n.	entrega, n. f.	entrega, n. f.	交货；交付	تسليم
Malchance, n. f.	bad luck / misfortune, n.	mala suerte, n. f.	má sorte, n. f.	厄运，倒霉	سوء الحظ
malentendu, n. m.	misunderstanding, n.	malentendido, n. m.	mal-entendido, n. m.	误会，误解	سوء تفاهم
marchander, v.	to bargain, v.	regatear, v.	regatear, v.	讨价还价，讲价	ساوم (سلعة)
mission, n. f.	task / assignment, n.	misión, n. f.	missão, n. f.	使命，任务	مَهَمّة
monter (une entreprise), v.	to set up / to establish (a business), v.	montar (una empresa), v.	criar, v.	成立（公司）	أنشئ (شركة)
muscle, n. m.	muscle, n.	músculo, n. m.	músculo, n. m.	肌肉	عضلة
Négocier, v.	to negotiate, v.	negociar, v.	negociar, v.	谈判，协商	تفاوض
nuire, v.	to harm / to damage, v.	perjudicar, v.	prejudicar, v.	损害，妨害	أضر بِ
Ordonnance, n. f.	prescription / order, n.	ordenanza, n. f.	receita, n. f.	处方；安排	وصفة طبية
Paie, n. f.	pay / salary, n.	paga, n. f.	vencimento, n. m.	支付；工资	راتب
paradisiaque, a.	heavenly, a.	paradisíaco(a), a.	paradisíaco, a.	天堂的，极乐世界的	خلّاب
parcourir, v.	to travel / to cover (a distance), v.	recorrer, v.	percorrer, v.	浏览；跑遍	جابَ
parcours, n. m.	route, n.	recorrido, n. m.	percurso, n. m.	航线；经历	مسارٌ
peintre, n. m.	painter, n.	pintor, n. m.	pintor, n. m.	画家	رسام، دهّان
phénomène, n. m.	phenomenon, n.	fenómeno, n. m.	fenómeno, n. m.	现象	ظاهرة
piéton, n. m.	pedestrian, n.	peatón, n. m.	pião, n. m.	步行者，行人	راجِل (مشي)
plainte, n. f.	complaint, n.	queja, n. f.	queixa, n. f.	控诉；诉苦	شكوى
plaire, v.	to please / to like, v.	gustar, v.	agradar, v.	使喜爱；使中意	أعْجَبَ
plier, v.	to fold / to bend, v.	doblar, v.	dobrar, v.	折叠；使屈服	طوى
plombier, n. m.	plumber, n.	fontanero, n. m.	picheleiro, n. m.	铅管工	سبّاك
poisse, n. f.	bad luck, n.	mala pata, n. f.	azar, n. m.	厄运，倒霉	سوء الطالع
populaire, a.	popular, a.	popular, a.	popular, a.	通俗的；受欢迎的	شعبي
porte-bonheur, n. m.	lucky charm, n.	amuleto, n. m.	amuleto, n. m.	吉祥的东西	حِرز
potentiel, a.	potential, a.	potencial, a.	potencial, a.	潜在的	محتمل
précis(e), a.	precise / accurate / specific, a.	preciso(a), a.	exacto(a), a.	明确的，精确的	مضبوط(ة)
prédiction, n. f.	prediction, n.	predicción, n. f.	predição, n. f.	预言，预测	تنبؤ
prédire, v.	to predict, v.	predecir, v.	predizer, v.	预告，预言	تنبأ
prétentieux(-euse), a.	pretentious, a.	presuntuoso(a), a.	pretensioso(a), a.	自负的，自命不凡的	متعجرف(ة)
prévenir, v.	to warn / to prevent, v.	prevenir, v.	prevenir, v.	通知，告知	بَلّغ
prévention, n. f.	prevention, n.	prevención, n. f.	prevenção, n. f.	预防；成见	وقاية
profil, n. m.	profile, n.	perfil, n. m.	perfil, n. m.	轮廓；素质	مواصفات
progrès, n. m.	progress, n.	progreso, n. m.	progresso, n. m.	进步	تقدُّم
Rabais, n. m.	discount / reduction, n.	rebaja, n. f.	desconto, n. m.	折扣	تخفيض
raccrocher, v.	to hang up / to ring off, v.	colgar, v.	ligar, v.	重新挂上	أقفل الخط
raffoler (de qqch), v.	to be crazy (about something), v.	volverse loco (por alguien), v.	adorar, v.	迷恋；酷爱	مولع بِ
râleur(-euse), a.	grumpy, a.	quejica, a.	resmungão(ona), a.	爱发牢骚的	متذمر(ة)
réagir, v.	to react / to respond, v.	reaccionar, v.	reagir, v.	反应；其作用	تفاعل مع
recommandation, n. f.	recommendation, n.	recomendación, n. f.	recomendações, n. f. pl.	推荐，介绍	توصية
recruter, v.	to recruit, v.	contratar, v.	recrutar, v.	招聘	وظف
récupérer, v.	to recover / to get back, v.	recuperar, v.	recuperar, v.	收回，取回	استرجع
recycler, v.	to recycle / to reuse, v.	reciclar, v.	reciclar, v.	使再循环	أعاد تصنيع
référence, n. f.	reference / benchmark, n.	referencia, n. f.	referência, n. f.	参考，参照	مرجع
rejeter, v.	to reject / to deny, v.	rechazar, v.	rejeitar, v.	排出，吐出	ردّ
rembourser, v.	to reimburse / to repay, v.	pagar, v.	reembolsar, v.	退还，偿还	أعاد مبلغا
remède, n. m.	remedy / medicine, n.	remedio, n. m.	remédio, n. m.	药物；药方	علاج

Mot français	ANGLAIS	ESPAGNOL	PORTUGAIS	CHINOIS	ARABE
remise, n. f.	handover / discount, n.	rebaja, n. f.	desconto, n. m.	折扣；减价	تخفيض، تسليم
rémunérer, v.	to pay / to pay for, v.	remunerar, v.	remunerar, v.	酬报，酬劳	دفع أجراً
renouvelable, a.	renewable, a.	renovable, a.	renovável, a.	可更换的，可更新的	قابل للتجديد
répugnant, a.	repugnant / revolting, a.	repugnante, a.	repugnante, a.	令人反感的	كريه
réseau, n. m.	network, n.	red, n. f.	rede, n. f.	网络	شبكة
retrouvailles, n. f. pl.	reunion, n.	reencuentro, n. m.	reencontros, n. m. pl.	重逢	ملاقاة من جديد
risque, n. m.	risk, n.	riesgo, n. m.	risco, n. m.	风险	خطر
rupture, n. f.	rupture / break / interruption, n.	ruptura, n. f.	ruptura, n. f.	决裂；中断	قطيعة
rural(e), a.	rural, a.	rural, a.	rural, a.	乡村的	ريفي(ة)
S'adapter, v.	to adapt oneself (to), v.	adaptarse, v.	adaptar-se, v.	适应，适合	تأقلم مع
sain(e), a.	healthy / sound, a.	sano(a), a.	são(sã), a.	健康的，健全的	سليم(ة)
salarié(e), n. m.	employee, n.	asalariado(a), n. m./f.	assalariado(a), n. m.	职工，员工	أجير(ة)
s'associer, v.	to join forces with / to be associated with, v.	asociarse, v.	associar-se, v.	结合，联合	تشارك مع
sauver, v.	to save / to rescue, v.	salvar, v.	salvar, v.	拯救，挽救	أنقذ
savoir-faire, n. m.	know-how, n.	tacto, n. m.	savoir-faire, n. m.	技术，本事	مهارة
savoir-vivre, n. m.	manners, n.	urbanidad, n. f.	saber viver, n. m.	人情世故，礼仪	التعامل بلباقة
sculpture, n. f.	sculpture, n.	escultura, n. f.	escultura, n. f.	雕塑	منحوتة
se croiser, v.	to meet / to pass each other, v.	cruzarse, v.	cruzar-se, v.	互相交叉；杂交	تلاقى
se moquer, v.	to laugh at / not to care about, v.	burlarse, v.	fazer troça, v.	嘲笑	سَخِرَ من
se réconcilier, v.	to make up / to be reconciled, v.	reconciliarse, v.	reconciliar-se, v.	和解，言归于好	تصالح مع
se ressourcer, v.	to recharge one's batteries, v.	cargar las pilas, v.	recuperar, v.	重新修整	استرجاع الأنفاس
se soigner, v.	to take care of oneself, v.	curarse, v.	cuidar-se, v.	照料自己，保养身体	مداواة
secours, n. m.	help / rescue, n.	socorro, n. m.	socorro, n. m.	救助，援助	إسعاف
secret, n. m.	secret, n.	secreto, n. m.	segredo, n. m.	秘密	سر
sensibiliser, v.	to raise awareness, v.	sensibilizar, v.	sensibilizar, v.	使敏感；动员	حَسَّنَ بِ
s'entendre, v.	to get on (with), v.	llevarse bien, v.	ouvir-se, v.	相处；被理解	تفاهم مع
siège, n. m.	seat / headquarters, n.	sede, n. f.	banco, n. m.	座位；席位	مقعد، مقر
sociable, a.	sociable, a.	sociable, a.	sociável, a.	能交际的	ودود، اجتماعي
solde, n. m.	balance / sale, n.	saldo, n. m.	saldo, n. m.	余额；削价商品	رصيد، سعر مخفض
solitaire, a.	solitary / lonely, a.	solitario(a), a.	solitário(a), a.	孤独的；偏远的	وحيد
soulager, v.	to relieve / to ease, v.	aliviar, v.	aliviar, v.	减轻；接济	خفف عن
souplesse, n. f.	flexibility, n.	flexibilidad, n. f.	flexibilidade, n. f.	柔软，柔韧	مرونة
spontané(e), a.	spontaneous, a.	espontáneo(a), a.	espontâneo(a), a.	自发的，出于本能的	عفوي(ة)
suggérer, v.	to suggest, v.	sugerir, v.	sugerir, v.	建议，启发	اقترح
superstitieux(-euse), n. m.	superstitious, n.	supersticioso(a), n. m./f	supersticioso(a), n. m.	迷信的	متطير(ة)
superstition, n. f.	superstition, n.	superstición, n. f.	superstição, n. f.	迷信	تَطَيُّر
surveiller, v.	to watch / to supervise, v.	vigilar, v.	vigiar, v.	监视；监督	رَاقَبَ
symptôme, n. m.	symptom, n.	síntoma, n. m.	sintoma, n. m.	症状，症候	أعراض
témoignage, n. m.	account / testimony, n.	testimonio, n. m.	testemunho, n. m.	见证，证明	شَهَادَة (في قضية)
Tendre, v.	to tighten / to extend, v.	tensar, v.	tenro, v.	伸出，拉紧	مَدَّدَ
tracas, n. m.	trouble / problems, n. (pl.)	preocupación, n. f.	preocupação, n. f.	烦恼，不安	بلبلة
trajet, n. m.	route / journey, n.	trayecto, n. m.	trajecto, n. m.	行程，路径	مسار رحلة
tri, n. m.	sorting / selection, n.	clasificación, n. f.	triagem, n. f.	分拣	فَرْز
trier, v.	to sort / to select, v.	clasificar, v.	seleccionar, v.	分拣，分选	فَرَز
troquer, v.	to barter / to swap, v.	cambiar, v.	trocar, v.	以货易货	قَايَض
tutoyer, v.	to be on familiar terms with, v.	tutear, v.	tratar por tu, v.	用"你"称呼	خاطب بصيغة المُفرَد
Urbain, a.	urban, a.	urbano(a), a.	urbano(a), a.	城市的，都市的	حَضَرِي
user, v.	to wear away / to wear out, v.	gastar, v.	usar, v.	使用；磨损	استعْمَلَ
vernissage, n. m.	varnishing / glazing, n.	barnizado, n. m.	envernizamento, n. m.	开幕式；上漆	طلاء
Victime, n. f.	victim / casualty, n.	víctima, n. f.	vítima, n. f.	受害者；牺牲品	ضحية
vide-grenier, n. m.	garage sale, n.	mercadillo, n. m.	venda no sótão, n. f.	私人旧货集市	سوق لبيع أشيا، قديمة
vouvoyer, v.	to be on formal terms with, v.	tratar de usted, v.	tratar por você, v.	用"您"称呼	خاطب بصيغة الجَمْع

Retrouvez les transcriptions des vidéos sur le site : www.didierfle.com/mobile

PISTE n° 1

Unité 1 « Les uns les autres », activité 3, page 16

Aujourd'hui participez à notre grand jeu « Qui est quoi ? ». Nous vous proposons 3 candidats au titre d'« illustre inconnu du jour ». Écoutez nos 3 participants se présenter et choisissez : le plus sympathique, le plus original, le plus farfelu.

PIERRE - Bonjour, je m'appelle Pierre, je suis cuisinier et je suis fou de kayak. J'adore faire la fête, inviter des amis chez moi et aller en boîte. Je sors beaucoup avec mes amis et nous partons aussi en vacances de ski et en weekend à la mer. Moi, je ne peux pas vivre sans la fête !

MARIE - Bonjour, je m'appelle Marie, je suis professeur de géographie le jour, et artiste la nuit. Je fais de la peinture et de la sculpture. Je vis à la campagne dans une maison très particulière : une grotte. Oui, vous avez bien entendu, une grotte ! Une maison sous terre dans la montagne, c'est génial ! Pas d'électricité mais des bougies, c'est un paradis !

MAXENCE - Bonjour je m'appelle Maxence, je suis réalisateur de films documentaires. Pour mon travail, je passe 4 mois par an à Paris, puis je pars 8 mois dans la forêt amazonienne pour filmer. Je n'aime pas la routine, j'adore voyager et découvrir de nouveaux horizons. À Paris, je n'ai pas d'appartement mais je vis chez des amis.

PISTE n° 3

Minutes son, page 17

Hier, j'ai couru pour retrouver Arthur, au café de la Tour. Il a souri quand il a vu la tortue Doudou sur le comptoir. Le patron est un aventurier qui a vécu à Honolulu et adore surprendre ses clients !

PISTE n° 4

Activité 3, page 18

MARUSHKA - Je m'appelle Marushka et je viens ici pour améliorer mon français. J'ai suivi des cours de français, mais c'était ennuyeux. Ici c'est convivial et j'ai rencontré deux Français. Et la semaine dernière on est allé voir l'expo Chagall, et on a parlé français et russe.

AYDA - Je m'appelle Ayda et je suis venue trois fois au Café-Babel, mais cette fois-ci je suis un peu déçue : je n'ai trouvé personne pour discuter en turc, alors j'ai discuté en anglais.

MARC - Moi, c'est Marc, j'ai vécu trois ans aux États-Unis. Je viens régulièrement au Café-Babel pour maintenir mon niveau d'anglais. Je trouve toujours des Américains et des Anglais sympas !

PISTE n° 5

Minutes son, page 19

a. Peur - frère - chanteur - jouez - pierre.

b. - Valère n'arrive jamais à l'heure.
- Vous allez souvent au cinéma ?
- Le chanteur que j'ai vu est en tournée.
- Ma sœur rêve d'être bénévole.

PISTE n° 6

Activité 2, page 20

JOURNALISTE - Aujourd'hui j'assiste à un gigantesque dîner en blanc place de la Concorde. Ce nouvel événement populaire fait fureur à Paris chaque été... Excusez-moi Monsieur, que faut-il apporter pour ce dîner ?

HOMME - Il faut apporter une table, des chaises, une bouteille, un bon dîner, il faut venir en blanc...

FEMME - Il y a du monde PARTOUT, il y a 10 000 personnes paraît-il, environ 5 000 tables...

JOURNALISTE - Et l'idée c'est quoi ?

HOMME - L'idée, c'est de passer une bonne soirée, tous ensemble, avec des amis. Ce sont des groupes d'amis en fait, donc on s'invite et puis on parle... On a tous rendez-vous, on ne sait pas où on va et puis en fait on se retrouve là et on dîne tous ensemble !

JOURNALISTE - Tout le monde ne peut pas y participer...

FEMME - Non ! On y participe heu... par relation... voila, c'est un petit groupe qui est devenu de plus en plus grand !

JOURNALISTE - Mais ce n'est pas légal tout ça...

HOMME - Ce n'est pas interdit. Et ça se passe toujours très bien, il n'y a jamais eu de problème donc il y a une certaine tolérance, on tolère ce moment de grande fête. On est contre rien, on est là juste pour dîner dans un bel endroit de Paris, un dîner élégant, un dîner fin, avec des gens qui s'amusent, voilà.

PISTE n° 7

Minutes son, page 21

- Quel aventurier ce garçon ! - Il n'est jamais allé au Chili ? - Elle a les yeux verts. - Il est très distrait ! - C'est quelqu'un de sociable ?

PISTE n° 8

Unité 2 « Amis, amours, portable », exercice 3, page 26

JOURNALISTE - Bonjour Marion, pouvez-vous nous parler de votre ami Tristan ?

MARION - Tristan est mon meilleur pote, on se connaît depuis l'âge de 15 ans. On s'est rencontré au lycée, en seconde. On s'entend très bien : on plaisante beaucoup, on s'amuse comme des fous, on va aux fêtes ensemble. Avec lui, tout est léger, divertissant et inattendu. Cependant, tout n'est pas idyllique : Tristan et moi nous avons tous les deux mauvais caractère et on se dispute souvent, mais ça ne dure jamais longtemps, on se réconcilie très vite.

JOURNALISTE - Et vous Agnès, pouvez-vous nous parler de votre relation avec Sonia ?

AGNÈS - Sonia et moi nous sommes rencontrées au travail. Nous nous connaissons depuis 15 ans maintenant et on nous appelle les « inséparables ». Sonia est comme une sœur pour moi, nous partageons tout : nos joies, nos soucis et nos loisirs, c'est une relation très enrichissante. Nous faisons partie d'un club de théâtre amateur et nous faisons beaucoup de randonnée ensemble dans les Alpes. En moyenne, nous nous retrouvons deux fois par semaine, et nous nous téléphonons presque tous les jours.

JOURNALISTE - Loïc, quelle est votre relation avec Stéphane ?

LOÏC - Stéphane et moi nous connaissons depuis l'âge de 5 ans, ça fait donc très longtemps. On a partagé beaucoup de choses à Brest : les années d'école, le lycée puis l'université. Après les études, Stéphane a déménagé à Paris pour son travail, alors forcément on a un peu perdu le contact. Puis récemment, Stéphane m'a contacté par Facebook, et maintenant on communique régulièrement, par mail et par tchat aussi. Bientôt, on doit partir ensemble faire du bateau : notre passion commune... C'est quand même mieux que l'amitié virtuelle.

PISTE n° 10

Minutes son, page 27

a. Pas – sympa – beau – habile – pale – impatient – bon – bien – couple.

b. Poire/boire – appris/appris – pou/bout – pale/balle – point/point – compas/combat.

c. Patricia, la brune qui aime les prunes, habite Brest, mais préfère Naples.

PISTE n° 11

Activité 2, page 28

MATHILDE - Oh Sophie ! Ça va ? Tu as l'air en pleine forme !

SOPHIE - Devine ce qui m'est arrivé ! C'est incroyable ! Il y a 3 mois, je suis allée à Rennes et dans le train ma place était occupée par un homme en train de lire. J'ai commencé à protester... et quand il a levé ses yeux... le coup de foudre ! L'homme de ma vie !

MATHILDE - Non ! Et tu lui as parlé ?

SOPHIE - Je n'ai pas osé ! Je me suis excusée et j'ai travaillé sur mon ordinateur pendant tout le trajet. J'ai vu qu'il me regardait. Et il est descendu à Rennes, lui aussi.

MATHILDE - Bah ! Un de perdu, dix de retrouvés !

SOPHIE - Attends ! Je ne pouvais pas me sortir cet homme de la tête ! J'étais désespérée ! J'ai tout essayé pour le retrouver : les annonces, Internet, les sites de retrouvailles...

MATHILDE - Pfff, c'est idiot !

SOPHIE - Et puis il y a un mois, je suis revenue à Rennes et la comptable m'a dit : « Avant de commencer, je voudrais vous présenter notre nouveau directeur d'agence... » Tu ne vas pas me croire...

MATHILDE - Non !

SOPHIE - Siiii ! C'était lui ! Et bien il m'a invitée à déjeuner et on s'est revu, et lui aussi est tombé amoureux dans le train. Je suis sur un petit nuage !

MATHILDE - Ils sont au courant dans ton entreprise ?

SOPHIE - Non, pas pour l'instant : c'est notre secret.

PISTE n° 12

Minutes son, page 29

Pile – sali – partez – après – terre – il.

PISTE n° 13

Activité 1, page 30

LUCIE - Ah ! Enfin Jessica ! Ça fait des heures que j'essaie de t'appeler ! Je t'ai laissé au moins dix messages. Tu as eu mes textos ? T'es où là ? ... Au restaurant ? Et alors, tu ne peux pas répondre ? Il n'y a pas de réseau ? ... Mmmm ! ... Attends, attends, j'ai un double appel ! C'est ma mère ! Je te reprends tout de suite après. ... Oui, Maman. Non, non, tu ne me déranges pas ... pour dimanche ? ... Oui, oui, j'apporte le gâteau. Qu'est ce que vous préférez ? ... Et Jean-Michel ? ... Non ! Une nouvelle copine, à son âge ? Mais il a au moins 60 ans ! ... Sur Internet, tu dis ? ... Raconte ! ... Ça alors ! Bon ! On se rappelle. ... Jessica tu es toujours là ? ... Je suis dans la salle d'embarquement de l'aéroport. ... Tu as fini le dossier Vital ? Parce que j'ai eu un mail du client et il n'est pas content. ... D'accord ! D'accord ! Mon avion atterrit à 22h30, je vais l'appeler en arrivant. ... Non ! Non ! Il m'a donné son numéro de portable. Et on arrête de travailler avec la société Star. J'ai

prévenu le directeur, j'ai envoyé un SMS ce matin. Il faut aussi parler de Bruxelles. C'est très très important ! Alors moi, je propose...
HOMME - Excusez-moi, Madame, vous ne pourriez pas parler un peu moins fort ?
LUCIE - Mais Monsieur, je travaille moi !
HOMME - Ah bon, vous travaillez ? Alors moi aussi je vais travailler !

PISTE n° 14
Minutes son, page 31
- Aujourd'hui il lui a dit oui.
- Il n'aime pas les fruits sauf les kiwis.

PISTE n° 15
Activité Delf 1, page 33
LÉO - Pardon Mademoiselle, on ne s'est pas déjà rencontré quelque part ?
AUDREY - Euh, non, je ne crois pas.
LÉO - Mais si je vous assure, vous vous appelez bien Clara ?
AUDREY - Ah, non, non ! Il doit y avoir erreur. Je m'appelle Audrey.
LÉO - Mais si : Audrey ! C'est moi Léo. Vous êtes de Paris, on s'est vu l'an dernier sur cette plage !
AUDREY - Pas du tout, je viens de Rennes et c'est la première fois que je viens dans la région.
LÉO - Alors, je vous ai vue en rêve... Je peux vous offrir un verre ?
AUDREY - Désolée, mais j'attends mon copain.

PISTE n° 16
Activité Delf 2, page 33
Bonjour. Votre crédit actuel est de 15 centimes d'euros. Pour recharger votre compte, nous vous proposons plusieurs options. Pour recharger avec un bon Eurotel tapez 1, pour recharger avec une carte bancaire tapez 2, pour joindre un opérateur tapez 3. Pour revenir au menu principal tapez *.

PISTE n° 17
Activité Delf 3, page 33
Votre attention s'il vous plait. Dernier appel avant la fermeture des portes. Mme Dominique Roussel et Monsieur Amhed Charbi, passagers du vol AF 5231 à destination de Casablanca, sont invités à se rendre en porte 31 pour embarquement immédiat.

PISTE n° 18
Unité 3 « Voyager autrement », activité 2, page 36
SANDRA - Je m'appelle Sandra, je vis à Lille, je suis *greeter* depuis quatre ans, et j'adore ! Je ne suis pas guide mais je connais bien Lille et je veux partager ma vie avec des touristes qui veulent voir la ville autrement. Ma spécialité ? Les boutiques de créateurs, parce que la mode branchée ce n'est pas que Paris.
ETIENNE - Mon nom est Etienne. Moi aussi, je suis *greeter*, et je propose des balades autour du centre ville de Lille, dans les anciens bistrots oubliés et dans les brasseries artisanales. C'est une autre façon de rencontrer la ville et ses habitants, autour d'un verre, toujours sympathique.
KHALED - Moi c'est Khaled. Ma passion, c'est le métro. Et avec un ticket, je fais visiter un Lille insolite, moderne, sous terre et qui a tellement de choses à dire. Souvent, après une visite on garde contact, et je fais régulièrement des échanges avec des passionnés du métro de New York et du Caire. Un guide parle avec ses livres, un greeter avec son cœur.

PISTE n° 20
Minutes son, page 37
- Arn**au**d est parti à B**o**rd**eaux** prendre un b**o**l d'air. - Il a visité la ville à vél**o** avec un *greeter* l**o**cal. - Il a dîné dans un bistr**o**t retr**o**. - Il a b**eau**coup aimé le p**o**rt.

PISTE n° 21
Activité 3, page 38
Écoutez ce dialogue entre Sonia et Milo, des échangeurs expérimentés, qui cherchent en ligne leur prochain échange de maisons.
SONIA - Oh, regarde cette annonce pour une jolie maison en Provence : 2 chambres, une grande terrasse, la mer tout près, ça te dit ?
MILO - Oui et non. J'aime bien l'idée d'une maison provençale typique, mais ça me rappelle notre échange sur la Côte d'Azur... Les voisins étaient vraiment très bruyants : quand on était sur la terrasse on entendait leur musique, et souvent aussi leurs disputes... Ce n'était pas très reposant tout ça... En plus, il faisait vraiment trop chaud et on devait dormir la fenêtre ouverte, avec le bruit... Et la péniche à Paris, ça te dit ?
SONIA - Voyons... quartier central, péniche coquette, une chambre, une grande terrasse. Ça a l'air sympa tout ça, mais le quartier au bord de la Seine semble très touristique. C'est un peu comme l'année dernière, tu te souviens ? On logeait dans un bel appartement du quartier latin, mais comme il était au rez-de-chaussée, les touristes nous regardaient par la fenêtre ! C'était drôle au début mais après deux semaines on en avait vraiment ras-le-bol !
MILO - Oui, finalement c'est vrai, nos échanges étaient géniaux, les seuls problèmes qu'on a eu c'étaient avec les voisins. Cherchons un lieu plus tranquille... Oh regarde, un chalet en montagne ! Perdu au bord d'un lac, cadre époustouflant, un vrai paradis !

PISTE n° 22
Minutes son, page 39
Mes prochaines vacances ? Je vais loger dans une maison en Norvège. L'année dernière, j'étais dans un hôtel et pas de veine, il y avait des gens qui faisaient la fête le soir...

PISTE n° 23
Activité 3, page 40
Bonjour ! Je m'appelle Aurélie, je suis partie comme volontaire à Madagascar avec *Enfance du Monde*, et je voudrais vous faire partager cette inoubliable aventure. Ce séjour de tourisme équitable et solidaire m'a permis d'établir des relations vraies avec la population, d'échanger et de m'intégrer à la vie locale.
Je travaillais dans l'école du village, où il y avait une cinquantaine d'enfants. Je leur donnais des cours de français, et l'après-midi j'organisais des activités en français : des sports d'équipe, du théâtre, de la cuisine. C'était formidable. Je logeais chez un professeur du village. Je partageais vraiment la vie de la population. Pendant ce séjour, j'ai appris énormément sur la culture locale, et j'ai vraiment eu l'impression d'aider au développement de la communauté.

PISTE n° 24
Minutes son, page 41
- Je n'ai **plus** d'argent. - Je ne pars **plus** en village de vacances. - Il y a **plus** de tourisme solidaire depuis une dizaine d'année.

PISTE n° 25
Activité Delf 1, page 43
Si vous avez envie de passer un week-end riche en émotions, que vous soyez seul(e), entre amis ou en famille, nous vous proposons un week-end sportif dans le Massif central.
Le premier jour, vous arrivez directement au Gite des Charbonniers, et vous mangez au gite avec le groupe. Le deuxième jour, c'est la journée sportive, avec accompagnateur. Commencez votre journée par un circuit VTT. Ensuite, vous faites de l'escalade. Après cette matinée sensationnelle, vous pique-niquez dans un château et vous faites du tir à l'arc. Le troisième jour, c'est le dernier jour. Le matin, faites du rafting dans les rapides. Puis déjeuner en groupe, puis retour.
Pour plus d'information consultez notre site, www.naturesport.com.

PISTE n° 26
Unité 4 « Trouver un emploi », activité 3, page 47
Amandine rencontre un conseiller pour l'emploi qui lui suggère des changements sur son CV.
AMANDINE - Bonjour, Pierre. Alors, que pensez-vous de mon CV ?
PIERRE - Bonjour Amandine. Au niveau de la présentation, il est clair, facile à lire. Cependant, sur le contenu il y a des points à améliorer. J'ai quelques questions sur les dates d'abord, car il y a des trous. Que faites-vous depuis avril 2012 ?
AMANDINE - Je cherche du travail et j'ai commencé un petit projet en freelance il y a 4 mois.
PIERRE - Alors il faut l'ajouter sur votre CV. D'autre part, qu'avez-vous fait entre 2002 et 2004 ?
AMANDINE - J'étais journaliste assistante au journal *Le Progrès*, à Lyon.
PIERRE - C'est très important, vous devez le mentionner sur votre CV ! Pendant combien de temps ?
AMANDINE - J'ai été pigiste pendant 3 mois, puis journaliste assistante pendant 1 an.
PIERRE - Très bien, je l'ajoute. Un autre problème : dans la rubrique « expérience professionnelle », il faut supprimer tous vos petits boulots étudiants (animation, vendanges, etc.). Ces informations ne sont pas utiles au recruteur.
AMANDINE - D'accord, et pour mes expériences de journalisme, il y a des choses à modifier ?
PIERRE - Oui, il faut ajouter des détails sur vos expériences de journalisme. Par exemple, que faisiez-vous quand vous travailliez pour le journal *Aujourd'hui* ?
AMANDINE - Au début, je rapportais les faits divers (accidents, crimes, événements etc.). Ensuite, j'ai changé de département et j'écrivais des analyses pour la rubrique société, c'était beaucoup plus intéressant.
PIERRE - D'accord c'est noté. Ah, une dernière chose Amandine : votre photo est un peu trop... heu... informelle pour un CV.
AMANDINE - Ah bon ? Vous trouvez ? Pourtant je pensais que cette photo décontractée était originale !
PIERRE - Oui effectivement, TRÈS originale, mais les recruteurs sont classiques, eux ! Alors choisissez une photo plus classique s'il-vous-plaît...

PISTE n° 28
Minutes son, page 47
a. Tasse – trop – dire – drôle – attire – coudre – adieu – guide.

b. tousse/douce – tête/tête – drain/train – dans/temps – tôt/tôt – cardon/carton – coude/coûte.

c. Toto têtu s'entête. / Dédé dodu s'endette.

PISTE n° 29
Activité 3, page 48

RECRUTEUR n°1 - Votre candidature a retenu notre attention. Pourquoi avez-vous choisi l'École Supérieure d'Informatique de Lyon ?

THIBAUT - Petit, j'étais passionné de jeux en ligne. À douze ans, Je créais des jeux sur des sites gratuits mais je voulais aller plus loin. Et c'est pour cette raison que j'ai fait de l'informatique, spécialité réseau. À l'École Supérieure d'Informatique de Lyon, j'ai pris la responsabilité du site de l'école et la fréquentation a été multipliée par 4. J'ai aussi renforcé la sécurité : nous n'avons eu qu'une attaque et en interne !

RECRUTEUR n°2 - Je vois que vous êtes sportif...

THIBAUT - Oui, je suis champion universitaire de tennis. J'aime les ordinateurs, mais je veux aussi avoir une activité physique.

RECRUTEUR n°3 - Vous parlez bien le chinois ? Vous êtes mobile ?

THIBAUT - J'ai passé les dix premières années de ma vie à Hong-Kong : c'est presque ma langue maternelle ! Mais je parle aussi l'anglais couramment et je me débrouille en espagnol. Je suis tout à fait disposé à voyager.

RECRUTEUR n°1 - À votre avis, quelles sont les qualités nécessaires pour le poste que nous proposons ?

THIBAUT - La connaissance technique est indispensable mais la patience et la ténacité sont au moins aussi importantes... et la discrétion j'imagine !

RECRUTEUR n°2 - Pourquoi postuler chez nous ?

THIBAUT - J'ai rencontré un de vos employés lors d'un forum. Quand il m'a parlé du matériel mis à disposition et des missions à effectuer sur le réseau, j'ai été enthousiasmé.

RECRUTEUR n°3 - Bien, Monsieur, je pense que nous vous recontacterons prochainement pour passer des entretiens complémentaires.

PISTE n° 30
Minutes son, page 49

a. Danseuse – peur – heureux – meilleur – sœur – mieux – deux – seul.

b. - Mon meilleur ami est jeune et amoureux.
- Leur sœur est chanteuse et talentueuse.

PISTE n° 31
Activité 4, page 51

JOURNALISTE - Comment as-tu connu le volontariat international en entreprise ?

LÉA - La dernière année de mes études d'ingénieur, je faisais un stage à EDF. Mon chef m'a parlé du VIE. EDF ouvrait un bureau d'études en Chine et on m'a proposé un VIE d'un an à Beijing.

JOURNALISTE - Qu'est-ce que cette expérience t'a apporté ?

LÉA - Vivre et travailler à l'étranger apportent une ouverture sur le monde, une plus grande tolérance, une remise en question, sur ses méthodes de travail ou son mode de vie. On est plus ouvert.
Au départ, Beijing a été un choc. Mais petit à petit j'ai rencontré des gens venant de partout, de cultures différentes et j'ai même appris un peu le chinois.

JOURNALISTE - Et que faisais-tu exactement ?

LÉA - Je m'occupais d'étudier l'implantation des centrales : un travail d'ingénieur, avec de nombreux déplacements.

JOURNALISTE - Quels sont les avantages et les inconvénients d'un travail en VIE ?

LÉA - Que des avantages : c'est l'aventure sans les risques. On a un bon salaire, six semaines de vacances et une expérience irremplaçable. Seul inconvénient : ça ne dure qu'un an !

JOURNALISTE - Et par rapport à Erasmus ?

LÉA - On a une expérience d'expatriation similaire, mais le VIE, c'est un vrai travail, ça ne s'adresse pas aux étudiants, mais aux jeunes diplômés.

JOURNALISTE - Et après le VIE, tu as des projets ?

LÉA - Oui, maintenant je veux repartir vivre et travailler à l'étranger. J'ai postulé pour un travail au Japon. J'attends la réponse.

PISTE n° 32
Minutes son, page 51

- Sa petite amie aimerait quitter la grande avenue bruyante.
- Je le rencontre parfois sur le boulevard.
- Ne t'inquiète pas, je t'appellerai.

PISTE n° 33
Unité 5 « Nature et environnement », activité 4, page 56

BENJAMIN - Alors ? Tu as déménagé ? Tu as trouvé un appartement ?

DAMIEN - Oui, un logement participatif dans un écoquartier.

BENJAMIN - Un quoi ?

DAMIEN - Un logement participatif dans un écoquartier ! C'est super ! J'ai obtenu l'appartement par une amie qui connaissait quelqu'un.

BENJAMIN - C'est quoi exactement ?

DAMIEN - C'est un logement dans une résidence avec des services en commun : la laverie, la salle des fêtes, les chambres d'amis, les jardins potagers pour produire ses propres légumes, etc. C'est très convivial.

BENJAMIN - Genre communauté hippie ?

DAMIEN - Mais non, pas du tout ! On vit chacun chez soi, j'ai mon trois pièces. Mais on réalise ensemble certaines choses, comme l'entretien du jardin, c'est plus économique, et puis on a des relations authentiques avec ses voisins. On ne se sent jamais seul. Tu sais, maintenant il faut se préoccuper des énergies renouvelables. Tout est pensé pour être écologique et durable. On a installé des panneaux solaires. On récupère l'eau de pluie pour les légumes. On recycle et on va construire un garage à vélo.

BENJAMIN - C'est beaucoup de travail ! Tu fais du jardinage, toi ?

DAMIEN - Parfaitement ! D'ailleurs, je t'invite à la prochaine fête du quartier pour venir déguster un gratin fait avec mes pommes de terre bio, sans pesticide ni produit chimique, tu m'en diras des nouvelles.

BENJAMIN - Ok ! Je veux voir comment l'écoquartier a transformé mon copain fou d'ordinateur en professionnel du jardinage.

PISTE n° 35
Minutes son, page 57

a. gâter – écolo – gaz – aggraver – muguet

– quartier – guide – écho.

b. bac/bague – ocre/ogre – classer/glacer – cycle/cycle – car/gare – creux/creux – crise/grise.

c. Écoutez l'écho des gouttes qui claquent sur le carreau glacé.

PISTE n° 36
Activité 3, page 58

JEAN - Le tri, moi, je n'y comprends rien !

LÉA - C'est pourtant simple, la poubelle blanche c'est pour le verre, la poubelle jaune, le plastique et le papier, et tout le reste va dans la poubelle verte.

JEAN - Et les boîtes de conserve ?

LÉA - Avec le plastique et le papier !

JEAN - Simple ! Simple ! Et les pots à confiture, hein ?

LÉA - Le pot avec le verre, et le couvercle dans la poubelle jaune ! Ce n'est pas compliqué quand même !

JEAN - Oui, oui !... Et puis d'abord pourquoi tu tries ?

LÉA - Parce que c'est plus... enfin c'est moins..., bref, c'est mieux pour l'environnement !

JEAN - Je comprends... si on ne trie pas, on ne pourra pas recycler et on augmentera le trou de la couche d'ozone.

LÉA - Oui, à peu près. Si on ne fait pas attention aujourd'hui, on le paiera demain.

JEAN - Bon, alors, les piles et le métal, c'est dans la poubelle jaune ?

LÉA - Mais non, les piles c'est spécial ! On les rapporte au magasin.

JEAN - Ah, bon ? Et les ampoules en verre vont dans la poubelle blanche ?

LÉA - Euh... non : c'est aussi une exception, au magasin.

JEAN - Ah, ah ! Simple tu dis ??! Et les lunettes vont où alors ?

LÉA - Sur ton nez, gros malin ! Parce que si tu les jettes tu ne verras plus rien !

PISTE n° 37
Minutes son, page 59

Cœur – bord – seul – veulent – bof.

PISTE n° 38
Activité 2, page 60

Le PARK(ing) DAY c'est une manifestation mondiale, citoyenne, artistique, créative, ludique. L'idée c'est qu'on s'installe sur des places de parking, de façon légale, donc vous payez vos places de parking, Terra Eco a payé ses places de parking, je le jure. Non commercial. On n'est pas là pour vendre des choses, des mag(azines), etc. On est là pour que les gens s'arrêtent, prennent un café avec nous, discutent et puis qu'on s'interroge ensemble sur la place de la voiture dans la ville. Et l'idée, voilà, c'est de se dire, bon, la voiture on en a un peu marre, la mobilité douce, elle n'est pas encore parfaite, donc discutons et cherchons ensemble des solutions.

PISTE n° 39
Minutes son, page 61

- Tu ne peux pas faire autrement ?
- Mais il travaille quand ?
- Tu ne peux pas venir à la réunion ?
- Tu crois que tu vas y arriver ?
- Il n'y a pas de poubelle jaune dans l'immeuble ?

PISTE n° 40
Le Retour à la terre, Les Fatals Picards
Minou fais tes valises et les miennes aussi,

Nous quittons l'île St Louis pour le paradis.
J'ai trouvé la maison dont nous rêvions tant,
Pour trois fois rien à crédit sur deux ans.
C'est au cœur du Larzac au bord d'une rivière,
Dans un joli lieu-dit appelé Le Désert.

Un manoir du XVe dans un parc de mille hectares,
Y aura juste quelques travaux à prévoir.
Pour l'arrivée d'eau le vieux puits fera l'affaire,
Pour l'électricité vive les panneaux solaires.
S'il y a des nuages, c'est toi qui pédale,
S'il fait nuit plus d'une heure, c'est toi qui pédale.

Le premier spot wifi est à 25 km,
Le premier monop' est à 35 km,
Le premier iPhone est à 120 km,
La dernière poste a fermé.

Elle est pas belle la vie,
Pour le dernier des hippies ?
La main dans la main
Avec le dernier lapin.
Elle est pas belle la vie,
Pour le dernier des hippies ?
La main dans la main
Avec le dernier pingouin.

Alors on est pas bien avec nos clapiers à lapins,
Les toilettes à compost, l'eau de pluie pour le bain ?
Si nos amis nous voyaient ils n'en reviendraient pas,
D'ailleurs si ils venaient ils ne reviendraient pas.

Tout ce qui pousse ici est un vrai don de Dieu,
Les ronces, les orties, les champignons vénéneux.
On s'est même installé une petite distillerie,
La gnôle de châtaigne ça vaut tous les smoothies.

Le premier voisin est à 25 km,
Le premier village est à 35 km,
Le premier magasin bio est à 120 km,
La seule maternité a fermé.

Elle est pas belle, la vie,
Pour le dernier des hippies ?
La main dans la main
Avec le dernier dauphin.
Elle est pas belle, la vie,
Pour le dernier des hippies ?
La main dans la main
Avec le dernier oursin.

Quand on sera vieux on aura tout le temps
De penser au monde qu'on laisse à nos enfants,
Mais là on est trop jeunes et moi j'veux pas crever
Trop loin d'un Starbuck ou d'un resto japonais.

Minou fais tes valises et les miennes aussi,
Nous quittons le Larzac pour le paradis.
J'ai trouvé le loft dont tu rêvais tant,
Aux pieds de Notre Dame à crédit sur cent ans.

Le premier médecin était à 25 km,
Le premier défibrillateur à 35 km,
Le premier hôpital à 120 km,
Le dernier cimetière était complet.

Elle est pas belle, la vie,
Pour le dernier des hippies ?
La main dans la main
Avec le dernier parisien.
Elle est pas belle, la vie,
Pour le dernier des hippies ?
La main dans la main
Avec le dernier terrien.

Elle est pas belle, la vie,
Pour le dernier des hippies ?
La main dans la main
Avec le dernier Tibétain.
Elle est pas belle, la vie,
Pour le dernier des hippies ?
La main dans la main
Avec le dernier lémurien.
La main dans la main
Avec le dernier pangolin.
La main dans la main
Avec le dernier vaurien.

PISTE n° 41
Unité 6 « Bien dans sa peau », activité 4, page 66
MAXIME - Bonjour, Docteur.
DOCTEUR - Bonjour Maxime, alors qu'est-ce qu'il y a ?
MAXIME - Je me sens fatigué, j'ai des problèmes de digestion, et en plus j'ai pris 5 kilos en 3 mois.
MAXIME - Ça fait beaucoup effectivement. Est-ce que vous avez changé de rythme de vie récemment ?
MAXIME - J'ai changé de travail, maintenant je travaille dans l'export et je voyage beaucoup.
DOCTEUR - Ah, et est-ce que vous mangez équilibré ?
MAXIME - Ben heu, pas vraiment. Je déjeune souvent rapidement, et je grignote un peu l'après-midi.
DOCTEUR - Et le soir, vous mangez beaucoup ?
MAXIME - Oui, parce que j'ai faim ! Je dîne plutôt copieusement.
DOCTEUR - Mais ce n'est pas du tout : vous devez manger correctement à midi et il faut manger léger le soir.
MAXIME - Oui bon, j'essaierai.
DOCTEUR - Et le sport ?
MAXIME - Oui, j'adore regarder les matchs de foot.
DOCTEUR - Mais ce n'est pas du sport ! Vous devez FAIRE de l'exercice pour rester en forme.
MAXIME - Mmmmm. Bon alors vous avez un médicament à me prescrire ?
DOCTEUR - Désolé, il n'y a pas de pilule miracle pour votre problème, c'est VOUS qui devez trouver la solution tout seul.
MAXIME - Quoi ? Moi ? Et les médicaments alors ???
DOCTEUR - Pas besoin de médicament pour améliorer votre hygiène de vie. Mais il faut des changements radicaux : mangez doucement, ne grignotez pas, pratiquez un sport régulièrement et surtout mangez sain. Voilà la solution miracle !

PISTE n° 43
Minutes son, page 67
a. éviter – frais – sauver – offrir – avouer – vieux.
b. vendre/fendre – envie/envie – foie/voit – fin/vin – couvrir/couvrir.
c. Je voudrais voir une foire de la France profonde.

PISTE n° 44
Activité 5, page 68
ANIMATEUR - Aujourd'hui, dans notre rubrique « Santé », un nouveau concept de sport urbain : la gym en ville, ou *Urban training*. Tristan, dites-nous tout. Comment fonctionne la gym en ville ?
TRISTAN - En fait, c'est très simple : il s'agit d'utiliser la ville comme un terrain de sport, avec l'aide d'un entraîneur professionnel.
ANIMATEUR - C'est-à-dire ?
TRISTAN - Par exemple, vous utilisez un banc public, un escalier, un trottoir pour faire de l'exercice.
ANIMATEUR - Alors on utilise le mobilier urbain comme matériel de sport ?
TRISTAN - Oui, c'est exactement ça, on transforme la ville en un immense terrain de gym !
ANIMATEUR - Comment se déroule une séance type ?
TRISTAN - Une séance type dure 1h30. Le groupe se retrouve à un endroit donné, avec un entraîneur.
D'abord, il y a 15 minutes d'échauffement. On s'échauffe en courant et en faisant des étirements. Ensuite, on commence les exercices de musculation. À la fin, on refait des étirements pour éviter les courbatures.
ANIMATEUR - Mais dites-donc, c'est très intensif tout ça. Alors, la gym en ville c'est seulement pour les bons sportifs ?
TRISTAN - Pas du tout ! Il y a des groupes de niveaux : débutant, intermédiaire et avancé.
ANIMATEUR - Et vous ? Comment avez-vous trouvé votre première séance de gym en ville ?
TRISTAN - C'était très convivial, amusant et original. On rencontre des gens sympas tout en faisant du sport.
ANIMATEUR - Vous recommandez la gym en ville à nos auditeurs ?
TRISTAN - Oui, tout à fait, pour 4 euros seulement, c'est une super aventure.
ANIMATEUR - Ah je vois qu'il y a une séance ce soir, vous y retournez avec moi ?
TRISTAN - Heu… Je voudrais bien mais j'ai beaucoup de courbatures aujourd'hui… (aïe).

PISTE n° 45
Minutes son, page 69
a. Temps/teint – bon/banc – matin /maton – avons/avant – main/ment – feinte/fonte – dent/daim.
b. - Le cous**in** ital**ien** de Rom**ain** m**on**te une **en**treprise à Bo**mb**ay.
- On ét**ein**t les téléphones en **en**trant **en** réuni**on**.

PISTE n° 46
Activité 3, page 70
Que faites-vous pour vous détendre ?
FRED - Moi, quand je veux décompresser, je me défoule : je fais de la course à pied, de la musculation, de la natation chaque semaine. Ces activités me donnent de l'énergie et je me sens ressourcé. En plus, j'adore rencontrer du monde et je suis membre d'un club de randonnée. Rencontrer des gens sympas me fait du bien.
ALICE - Ce qui me détend le plus ? Après une longue journée de travail, rien de mieux qu'une longue séance de piscine, je nage pendant 45 minutes, et je ressors détendue physiquement et mentalement. Parfois, je vais aussi à l'aquagym le matin, avant le travail, et je vois la différence : au travail, je suis plus calme, plus concentrée et beaucoup moins stressée.

JULES - Moi je joue du piano, ça me ressource, ça me calme, et quand je joue j'oublie tous mes problèmes. De temps en temps, je fais des séances de yoga pour me détendre. J'aime beaucoup la méditation, et j'adore aussi faire de longues marches en montagne ou à la campagne. D'une manière générale, j'ai besoin d'être seul pour me ressourcer.

PISTE n° 47
Minutes son, page 71

- Vous passez une bonne soirée ?
- Camille est très en retard !
- Il y a trop de bruit dans la rue ?
- Il est déjà 5 heures !
- Sophie n'a même pas téléphoné ?
- Quel dommage !

PISTE n° 48
Unité 7 « Quelle poisse ! », activité 5, page 76

CHAFIKA - Bonjour Alexis, ben alors, tu es en retard, qu'est-ce qu'il t'arrive ? Tu as l'air affolé.
ALEXIS - Oh la la, quelle poisse ! Devine quoi ? Je viens de me faire voler mon sac.
CHAFIKA - Ton sac ? Mais comment c'est arrivé ?
ALEXIS - J'étais dans le métro, j'avais posé mon sac devant moi par terre et je lisais. Une fille s'est assise en face de moi et m'a parlé du livre que je lisais.
CHAFIKA - Elle était comment cette fille ? Elle était louche ?
ALEXIS - Non, pas du tout, elle avait environ 20 ans, le style étudiant, mignonne, très mignonne. Charmante même...
CHAFIKA - Je vois... Et alors, comment elle a fait ?
ALEXIS - Quand le métro s'est arrêté à la station, elle est descendue... avec mon sac ! Et moi, je n'ai rien vu !
CHAFIKA - RIEN vu ??? Comment ça tu n'as RIEN vu ?!?
ALEXIS - Ben heu... elle me souriait et ... je n'ai pas fait attention...
CHAFIKA - Tu veux dire que tu étais sous le charme de la jolie voleuse ?!?
ALEXIS - Oui bon, ça arrive, personne n'est parfait !
CHAFIKA - Bon, et tu avais quoi dans ton sac ?
ALEXIS - TOUT : ma carte d'identité, mon permis de conduire, mes clés d'appartement, mes cartes bancaires, mon téléphone portable...
CHAFIKA - Qu'est-ce que tu as fait ?
ALEXIS - Je suis allé directement au poste de police, et j'ai porté plainte pour vol. J'ai fait opposition sur mes cartes bancaires, et j'ai fait bloquer mon portable...
CHAFIKA - Et pour tes clés d'appartement ?
ALEXIS - Justement, je dois faire changer ma serrure dès que possible. Tu me prêtes ton portable pour appeler le serrurier ?
CHAFIKA - Seulement si tu ne tombes pas sous le charme d'une autre dragueuse-voleuse de téléphone...
ALEXIS - Je te promets que ça n'arrivera plus !

PISTE n° 50
Minutes son, page 77

a. boucher – joue rouge – sage – l'arche.
b. Je cherche des gens charmants pour jouer au bridge.

PISTE n° 51
Activité 3, page 78

Bienvenue sur la messagerie téléphonique de la société Illico, laissez votre message.
FEMME - Allo ? Bonjour ici Laurie Dufour. Je téléphone parce qu'il y a un problème dans ma salle de bain, il y a de l'eau par terre. J'ai déjà coupé l'eau mais ça continue de couler. Je vous remercie donc de me rappeler dès que possible au 06.76.09.23.65.
HOMME 1 - Bonjour, Marc Leclerc à l'appareil. Je vous rappelle au sujet de mon mur, parce que le maçon est déjà passé il y a deux semaines, mais je n'ai pas encore reçu son devis. C'est pourquoi je vous appelle. Pourriez-vous me l'envoyer dès que possible, s'il-vous-plaît ? Merci d'avance.
HOMME 2 - Allo ? Allo ? Ah c'est encore le répondeur ! Ici Arthur Lejeune, je vous ai appelé il y a une heure pour un dépannage de serrurerie, vous m'avez dit que le serrurier arriverait tout de suite, mais il n'est jamais venu ... À cause de vous, je suis dehors en pyjama, faites quelque chose ! Rappelez-moi au 06.92.21.54.44., ou je vais devoir appeler les pompiers !

PISTE n° 52
Minutes son, page 79

- Mes amis sont bons amis avec vos amis.
- Nous achetons des étagères à dix euros.

PISTE n° 53
Activité 3, page 80

ANIMATEUR - Bonjour, aujourd'hui dans notre émission nous nous demandons si les Français sont superstitieux ou rationnels. Djamila est notre invitée. Elle est d'origine marocaine et depuis qu'elle vit en France, elle découvre les Français et leurs coutumes... Djamila, quand vous êtes arrivée en France, étiez-vous superstitieuse ?
DJAMILA - Oui, j'avais des superstitions marocaines. Par exemple, s'asseoir sur une table porte malheur, siffler dans une maison aussi, mais répandre de l'eau de mer dans toute la maison porte bonheur.
ANIMATEUR - Et maintenant, vous croyez encore aux superstitions marocaines ?
DJAMILA - Non, plus trop. Petit à petit, j'ai abandonné mes superstitions marocaines, parce que mes amis français les trouvaient bizarres et moi j'aimais l'idée de devenir cartésienne comme eux. Alors je les ai abandonnées pour devenir moi aussi car-te-sien-ne.
ANIMATEUR - Et alors ?
DJAMILA - Et alors, grosse surprise : moi je suis devenue cartésienne mais mes amis français ont en fait plein de superstitions ! Ils ne sont pas aussi cartésiens qu'ils le croient...
ANIMATEUR - Par exemple ?
DJAMILA - Par exemple, si je leur offre un couteau, ils me donnent une pièce d'un euro pour ne pas couper notre amitié. Pour se porter chance, ils touchent du bois en disant « je touche du bois ». La plupart de mes amis refusent de passer sous une échelle. Ah, et le plus drôle, c'est que mes amis me disent « merde » avant un examen, parce que ça porte chance ! Ce n'est pas très rationnel tout ça...

PISTE n° 54
Minutes son, page 81

- Tu n'as pas encore fait la vaisselle ?
- Il travaille souvent chez lui.
- Vous oubliez votre livre.
- Vous avez bientôt fini ?

- Tu pourrais me téléphoner le soir.
- Il n'arrive jamais avant dix heures.

PISTE n° 55
Activité Delf 1, page 83

Bonjour, ici Xavier Dupuis d'*Électricité Express*. Je vous appelle au sujet de la réparation de votre compteur électrique. Nous avions rendez-vous mardi 15 à 10 heures, mais en fait je ne serai pas disponible ce jour-là. Est-ce que vous seriez libre mercredi 16 à 11 heures ? Merci de me rappeler pour confirmer le rendez-vous. Mon numéro est le 06.20.14.15.64. Au revoir.

PISTE n° 56
Activité Delf 2, page 83

HOMME - Ah la la, quelle journée !
FEMME - Ah bon, pourquoi, qu'est-ce qu'il t'arrive ?
HOMME - En fait, mon ordinateur est tombé en panne ce matin et j'ai perdu tous mes dossiers.
FEMME - Aïe aïe aïe, quelle galère ! TOUS tes dossiers ??
HOMME - Oui, tous ! Et en plus, j'ai rendez-vous avec un client difficile cet après-midi, et il ne va pas être content si j'annule au dernier moment...
FEMME - Ah mais tu sais, j'y pense, Julien, mon collègue est revenu de vacances, et il est très bon en informatique, je suis sûre qu'il pourra t'aider.
HOMME - Oui bonne idée merci, je l'appelle tout de suite !
FEMME - Bonne chance ! Sinon, il y a toujours la société de dépannage informatique en face du bureau...

PISTE n° 57
Activité Delf 3, page 83

Votre attention s'il vous plaît. En raison de fortes chutes de neige, le vol AF 325 à destination de Vancouver est annulé. Le prochain vol partira demain à 6h45. Les passagers sont invités à se rendre au bureau d'Air France dans le hall des départs où des tickets hôtels et restaurants seront distribués aux passagers. Nous ferons notre possible pour vous proposer d'autres vols pour Vancouver demain.

PISTE n° 58
Unité 8 « Les nouveaux travailleurs », activité 4, page 86

Nous avons interrogé Vincent, Fanny et Karim et nous leur avons demandé de nous parler de leurs conditions de travail.
VINCENT - Moi, je suis responsable commercial dans une entreprise de textile. Mon patron est plutôt autoritaire, mais juste, et nous nous vouvoyons. C'est lui qui prend la majorité des décisions. J'aime bien travailler dans cette entreprise parce que c'est structuré, les horaires sont fixes et les réunions posent des objectifs clairs et précis. Je m'entends bien avec mes collègues, mais nous gardons des relations strictement professionnelles. On est là pour travailler, pas pour faire la conversation !
FANNY - Je suis dessinatrice de films d'animation. Mon boulot est passionnant, je change souvent de société et donc de projets alors c'est extrêmement varié, pas le temps de m'ennuyer ! Du coup, je rencontre plein de monde à chaque projet. Et j'ai l'habitude de travailler avec des équipes mobiles et dynamiques. L'animation est un milieu très convivial, tout le monde se tutoie et la tenue de rigueur c'est jean-baskets !
KARIM - Je suis responsable des Ressources Humaines dans une entreprise d'informatique. D'une manière générale, j'aime bien mon travail,

on porte le costume-cravate, mais ça ne me dérange pas. C'est vrai, mon patron n'accepte pas les retards, c'est 9h-18h tous les jours, mais il ne me contacte jamais le weekend ou pendant les vacances, et ça c'est la liberté !

PISTE n° 60
Minutes son, page 87

a. Bague/vague – vin/bain – brille/vrille – mon avis/mon habit – à boire/à voir – libre/livre.
b. J'ai bel et bien vu la bague de ma voisine dans la vitrine !

PISTE n° 61
Activité 3, page 89

INTERVIEWER - Aujourd'hui nous recevons Adeline Gaillard, 50 ans, coach professionnelle et personnelle. Adeline, bonjour, depuis combien de temps êtes-vous coach ?
ADELINE - Bonjour Arthur, depuis 7 ans. Et je dois dire que c'est une profession passionnante parce qu'elle est très variée.
INTERVIEWER -Pourriez-vous donner une brève définition du coaching pour nos auditeurs ?
ADELINE - Le coach aide le coaché à développer ses capacités et à atteindre ses objectifs personnels ou professionnels.
INTERVIEWER - Donc c'est un peu le spécialiste des transitions réussies ?
ADELINE - Oui, c'est un peu ça ! Un coach facilite le changement, il permet au coaché de devenir plus performant dans sa vie. Ce peut être un changement de carrière, un changement de région, un changement relationnel, ou simplement un changement de perception...
INTERVIEWER - À quels domaines s'applique le coaching ?
ADELINE - À toutes les sphères de la vie : la famille, le travail, la finance, l'amour, la relation aux autres en général...
INTERVIEWER - Et comment se passe une séance de coaching ?
ADELINE - Une séance dure une heure. Le coaché parle de son problème et le coach l'aide à définir un objectif à atteindre.
INTERVIEWER - Quelle est la différence entre le coaching et le conseil ou consulting ?
ADELINE - Une grosse différence : le coach ne trouve pas LA solution à la place de son client, non il pose simplement des questions à son client pour l'aider à trouver lui-même sa propre solution.
INTERVIEWER - Combien coute une séance de coaching pour les particuliers ?
ADELINE - Entre 70 et 150 € par heure.
INTERVIEWER - Très bien, Adeline merci pour toutes ces informations, bon courage pour la suite.

PISTE n° 62
Minutes son, page 89

- Elles vivent en Italie et travaillent en France. - Ils ont un grand appartement et un atelier. - Le magasin de mon ami ouvre demain après-midi.

PISTE n° 63
Activité 3, page 90

REPORTER - Aujourd'hui nous recevons Gaëlle, qui a monté à Paris une association bénévole : Quartier 20. Alors, Gaëlle, pourriez-vous nous parler de votre association ?
GAËLLE - En fait, il s'agit d'une association d'entraide de quartier destinée à tous les résidents de mon quartier.

REPORTER - Comment ça fonctionne ?
GAËLLE - Nous nous retrouvons au café une fois par mois, et là chacun peut proposer son aide ou en demander.
REPORTER - Et quel type d'aide apportez-vous ?
GAËLLE - Cela dépend des besoins : certains proposent de l'aide pour trouver un logement, du travail, d'autres proposent du soutien scolaire, des conseils de bricolage et même du conseil juridique.
REPORTER - Combien de bénévoles y-a-t-il et qui sont-ils ?
GAËLLE - Nous sommes une trentaine, plus ceux qui passent de temps en temps. Nous venons de toutes sortes d'horizon : certains sont informaticiens, avocats, artisans, et d'autres sont professeurs, assistants sociaux, employés de bureau... C'est vraiment un grand forum de compétences.
REPORTER - Comment avez-vous monté l'association ?
GAËLLE - Uniquement par réseau ! J'ai d'abord utilisé le bouche à oreille dans mon quartier : j'ai parlé à mes voisins et j'ai mis des annonces dans les petits commerces. Puis, j'ai organisé la première réunion dans un café du quartier. Pour finir, j'ai créé un groupe Facebook, et un autre bénévole a créé le site Internet.
REPORTER - Et vous voulez continuer longtemps ?
GAËLLE - Oui et grandir encore ! C'est vraiment génial, ça a transformé le quartier : maintenant la plupart des voisins se connaissent, on organise des groupes de sortie par affinités (théâtre, restaurant, randonnée...). On a une vraie vie de quartier ! « Quartier 20 » a rendu le quartier plus convivial et plus citoyen.

PISTE n° 64
Minutes son, page 91

- Tu dois absolument le voir, AB-SO-LU-MENT !
- Pas question que tu sortes ce soir, PAS - QUES-TION !
- Je n'ai pas du tout aimé le film, PAS-DU-TOUT !
- C'est impossible, IM-PO-SSIBLE !
- C'est incroyable, IN-CRO-YABLE !

PISTE n° 65
Unité 9, « À vendre ! À acheter ! », activité 4, page 96

STÉPHANIE - Regarde ! Tu as vu la petite robe que j'ai achetée aux enchères sur Internet ?
CLAIRE - Euh, tu l'as payée cher ?
STÉPHANIE - Une véritable affaire ! Tu as vu la marque ? Coco de la Lune ! Je l'ai payée 99 €, c'est moins cher qu'en solde ! C'était la dernière, j'ai fait une offre et je l'ai remportée ! Comment tu la trouves ?
CLAIRE - Heu ... Tu comptes vraiment la porter ? Je veux dire, pour sortir de chez toi ? Parce que...
STÉPHANIE - Parce que quoi ?
CLAIRE - C'est une robe qui est originale, avec ses manches de longueurs différentes et ses motifs... Mais moi, enfin, si j'étais toi, je demanderais un remboursement.
STÉPHANIE - Me faire rembourser ? Une Coco de la Lune à 99 €, tu es folle !
CLAIRE - Tu peux peut-être l'échanger, tu sais, je ne suis pas certaine que le vert moutarde et le rouge soient vraiment à la mode cet hiver...
STÉPHANIE - Tu n'y connais rien ! Elle est superbe !

CLAIRE - Écoute ! Tu connais le site trocdemarques.com ? Je suis sûre que tu pourrais troquer ta robe contre une veste noire ou un sac, disons un truc passe-partout que tu pourras encore porter dans 15 jours. Ou tu pourrais la mettre au dépôt-vente du boulevard.
STÉPHANIE - Non, mais tu rêves ! Tu ne trouves pas que je suis stylée dans cette robe ?
CLAIRE - Bon, tu veux vraiment savoir ce que je pense ? Tu as l'air d'un sac dans cette robe.
STÉPHANIE - D'un sac ? C'est la jalousie qui te fait parler ! Non, mais et toi, tu t'es regardée ?

PISTE n° 67
Minutes son, page 97

a. Choix – soie – tasse – tache - cacher - échouer - passion.
b. Attention, c'est chaud ce chausson aux seiches séchées.
Sachez qu'il s'achète des chaussettes et des chaussures pas chères.

PISTE n° 68
Activité 3, page 98

MANON - Dis donc Claudia, tu ferais bien d'aller chez le coiffeur, toi !
CLAUDIA - Oui, je sais... Mais tu comprends, on vient d'acheter un appartement, donc en ce moment on est un peu juste.
FÉLIX - En plus il faut refaire la plomberie, et je ne suis pas vraiment bricoleur. La peinture ça va, mais franchement la plomberie, c'est trop compliqué !
MANON - Pourquoi vous ne faites pas du troc ?
CLAUDIA - Du troc ?
MANON - Oui, tu ne connais pas l'association « La trocante » ? Tu t'inscris, tu dis ce que tu sais faire et tu échanges... Toi, Félix tu sais peindre. Et bien tu proposes de faire de la peinture et tu trouves quelqu'un qui propose de la plomberie. Toi, Claudia tu es une championne du jardinage, donc tu échanges du jardinage contre de la coiffure.
FÉLIX - C'est bien beau ton système Alice, mais il faut trouver une coiffeuse qui a un jardin et un plombier qui veut refaire sa peinture. C'est pas gagné !
MANON - Attendez, je vous explique. C'est simple, une heure de temps c'est une heure de temps pour tout le monde. D'accord ?
CLAUDIA - Oui.
MANON - Par exemple, tu peins une chambre en quatre heures. Et bien la chambre que tu as peinte par l'association te rapporte un crédit de 240 minutes-troc. Tu peux échanger ce crédit de minutes, contre 240 minutes-troc de plomberie, ou 120 minutes de massage et 120 minutes de babysitting. Etc.
FÉLIX - Ah oui, des massages après la peinture, j'en veux.
CLAUDIA - Félix, je te rappelle qu'on doit refaire la plomberie ! ... Et c'est un truc qui marche ?
MANON - Mes rideaux, que vous trouvez si beaux, et bien je les ai fait faire comme ça, contre de la promenade de chiens. Et notre terrasse ...
CLAUDIA - Je croyais que c'était ton petit copain qui l'avait faite ?
MANON - J'y arrive. Et bien à l'époque où on s'est rencontré, c'était un troqueur de services... mais c'est une autre histoire !

PISTE n° 69
Minutes son, page 99
- Nous habitons dans un hôtel. - D'après les habitants de la région, les hivers sont horribles.

PISTE n° 70
Activité 3, page 100
- **Je m'appelle Zoé.** Moi j'achète des vêtements et des aliments équitables depuis longtemps. Ce qui me plaît dans le commerce équitable, c'est que ce n'est pas de la charité, tout le monde y trouve son compte : les producteurs sont payés au juste prix, et le consommateur a un produit de qualité. Et puis, savoir que quand je mange du chocolat, je participe à rétablir l'équilibre Nord-Sud, ça me permet à la fois d'être gourmande et d'avoir bonne conscience.
- **Je m'appelle Magali.** En effet, les produits équitables, c'est bien, mais honnêtement quand on a une famille et un petit revenu, ce n'est pas envisageable. C'est peut-être le juste prix pour le producteur, mais pas encore pour le consommateur. Quand les prix seront plus bas, peut-être que j'achèterai quelques produits.
- **Je m'appelle Louis.** J'achète de temps en temps du café, du thé, des bananes... mais je me pose des questions. Est-ce que ce sont vraiment des produits équitables ou est-ce un argument commercial pour nous faire payer plus cher ? Est-ce que le producteur s'y retrouve vraiment ? Et les intermédiaires ? Parce qu'entre le champ de cacao et mon supermarché, il doit y en avoir des intermédiaires ! Moi je préfère acheter du bio à des producteurs locaux, au moins je sais d'où ça vient et comment c'est cultivé. Et en plus, c'est meilleur pour la couche d'ozone !
- **Je m'appelle Florent.** Ce que je pense du commerce équitable ? Moi, je suis d'accord sur le principe, mais franchement, je travaille 50 heures par semaine et je n'ai pas de temps à perdre au supermarché pour lire en détails les étiquettes, et encore moins d'aller dans des magasins spécialisés. J'avoue que si je prends parfois des produits équitables, c'est plutôt par hasard.

PISTE n° 71
Minutes son, page 101
- Je vais au marché.
- Je vais au marché avec ma sœur.
- Je vais au marché avec ma sœur acheter des fruits.
- Je vais au marché avec ma sœur acheter des fruits et des légumes.
- Je vais au marché avec ma sœur acheter des fruits et des légumes chez le marchand tunisien.

PISTE n° 72
Unité 10, « Arts et culture », activité 2, page 106
Bonjour, avez-vous aimé l'exposition ?
ANTOINE - Alors moi, j'ai A-DO-RÉ ! C'est très original ! C'est la deuxième fois que je viens. Ces lignes, ces couleurs, cette créativité ! Il faut absolument que je fasse découvrir cet artiste à mes amis.
LAURE - Alors, moi, pas du tout. De l'art ? J'espère que vous plaisantez ! C'est infantile ! Vous voulez que je vous dise ? Un enfant de 5 ans peut en faire autant. Tenez, donnez des crayons de couleurs à mon petit neveu et je suis sûre qu'il fera aussi bien. C'est une escroquerie !
TANIA - Je ne peux pas dire que j'ai détesté, non, mais ça me laisse une impression étrange. Je suis mal à l'aise devant ces personnages difformes et grossiers, mais en même temps

impressionnants. Je ne crois pas que je revienne, mais c'est à voir.

PISTE n° 74
Minutes son, page 107
a. Paris/pâli – lampe/rampe – calme/calme – four/foule – perle/perle – film/firme – lourd/roule – clé/craie – les folles/l'effort.
b. L'art brut est loin d'attirer les foules.

PISTE n° 75
Activité 2, page 108
ÉLÉONORE - J'aimerais bien qu'on aille au restaurant pour l'anniversaire de Victor. Tu as une idée ?
BERTRAND - Le restaurant de fromages ça vous dit ?
LUCIE - Oh, non ! Je ne suis pas sûre que Victor veuille encore y aller. On y a dîné deux fois le mois dernier. Si on allait dans un bar à huîtres ?
ÉLÉONORE - Berk ! L'idée de manger un animal vivant me dégoûte.
BERTRAND - J'ai une idée, le resto dans le noir... On y mange dans le noir complet !
ÉLÉONORE - Et qu'est-ce qu'on mange ?
BERTRAND - C'est la surprise ! Comme tu ne vois rien, tu dois deviner ce que tu manges. Et ce n'est pas facile. Il faut aussi que tu sois très attentif à tes gestes : utiliser la fourchette, le couteau et ton verre sans les voir, tout un art !
LUCIE - Mais si on sort tous ensemble c'est pour se voir et pour parler, pas pour s'enfermer dans le noir et ne pas savoir ce qu'on mange.
BERTRAND - Mais dans le noir, tu peux parler ! Et puis c'est souvent assez drôle, tu discutes avec tes voisins. Je réserve, je vous assure que c'est très bon en plus. Ah, un détail : Il faut que ce soir-là vous portiez des vêtements faciles à laver, parce que quand on mange les yeux fermés, il y a parfois des accidents...

PISTE n° 76
Minutes son, page 109
- L'an dernier, j'étais en Australie. - J'ai évité une catastrophe. - J'étudiais le latin à l'université.

PISTE n° 77
Activité 2, page 110
Texte extrait de la pièce Art de Yasmina Reza. Serge présente à son ami Marc une peinture qu'il achetée...
MARC : Cher ?
SERGE : Deux cent mille.
MARC : Deux cent mille ?...
SERGE : Handtington me le reprend à vingt-deux.
MARC : Qui est-ce ?
SERGE : Handtington ?!
MARC : Connais pas.
SERGE : Handtington ! La galerie Handtington !
MARC : La galerie Handtington te le reprend à vingt-deux ?...
SERGE : Non, pas la galerie. Lui. Handtington lui-même. Pour lui.
MARC : Et pourquoi ce n'est pas Handtington qui l'a acheté ?
SERGE : Parce que tous ces gens ont intérêt à vendre à des particuliers. Il faut que le marché circule.
MARC : Ouais...
SERGE : Alors ? .... (pause, pas de réaction de Marc) Tu n'es pas bien là. Regarde-le d'ici. Tu aperçois les lignes ?
MARC : Comment s'appelle le...
SERGE : Peintre. Antrios.

MARC : Connu ?
SERGE : Très. Très ! (Un temps. Longue pause)
MARC : Serge, tu n'as pas acheté ce tableau deux cent mille francs !
SERGE : Mais mon vieux, c'est le prix. C'est un ANTRIOS !
MARC : Tu n'as pas acheté ce tableau deux cent mille francs !
SERGE : J'étais sûr que tu passerais à côté.
MARC : Tu as acheté cette merde deux cent mille francs ?!

PISTE n° 78
Minutes son, page 111
a. - Combien tu as payé ce tableau ? - Tu as rencontré personnellement l'auteur ? - Il a aimé cette expo !
b. - Non mais quand même ! - Ça alors ! - Ce n'est pas possible ! - Toi, ici !

PISTE n° 79
Activité Delf 1, page 113
Zoé Schmitt nous rejoindra en fin de matinée pour notre émission « J'ai quelque chose à vous dire ». Vous ne connaissez peut-être pas le nom de Zoé Schmitt mais vous connaissez tous son œuvre. Le gigantesque lapin rose qui se trouve à l'entrée de la ville ? C'est une de ses premières sculptures, tout comme la cigogne à tête de femme sur la place de la mairie. Zoé viendra nous parler de son œuvre et de son exposition à Berlin qui vient d'ouvrir ses portes le 12 avril dernier. Mais elle est aussi là pour nous sensibiliser au problème de l'autisme. Elle nous expliquera comment, à travers son association « la parole cachée », elle fait découvrir la sculpture à de jeunes autistes et ce que lui apporte ce travail. Vous pourrez lui posez des questions en direct au 03 83 45 78 89 ou par Internet sur notre site... Il est 8h15. Et tout de suite la météo.